D1213388

# Le muet de l'Anse-aux-Bernaches

Marchand de feuilles
C.P. 4, Succursale Place d'Armes
Montréal (Québec)
H2Y 3E9
Canada

www.marchanddefeuilles.com

Graphisme de la page couverture : Isabelle Toussaint
Illustration de la couverture : Fatima Ronquillo
Mise en pages : Roger Des Roches
Révision : Hélène Bard
Diffusion : Hachette Canada
Distribution : Socadis

Marchand de feuilles remercie le Conseil des Arts du Canada et la Société de développement des entreprises culturelles ( Sodec) pour leur soutien financier. Marchand de feuilles reconnaît l'aide financière du gouvernement du Canada par l'entremise du Fonds du livre du Canada (FLC) pour ses activités d'édition et bénéficie du Programme de crédit d'impôt pour l'édition de livres (Gestion Sodec) du gouvernement du Québec.

Catalogage avant publication de Bibliothèque et Archives nationales du Québec et Bibliothèque et Archives Canada

Naple, Alexandre
Le muet de l'Anse-aux-Bernaches
ISBN 978-2-923896-56-4
I. Titre.
PS8627.A64M83 2016 C843'.6 C2016-940205-3
PS9627.A64M83 2016

Bibliothèque et Archives nationales du Québec
Bibliothèque et Archives Canada

Alexandre Naple

# Le muet de l'Anse-aux-Bernaches

*Roman*

Éditions
Marchand
de feuilles

*à Pap*

# I

Grand Registre, page 48. Écrit en lettres majuscules : « Ma mère est une morue ! »

Installé dans sa grotte le long du fleuve, Alx relit la phrase qu'avaient cherché à lui faire dire trois écoliers, deux ans auparavant. On ne lésinait plus sur les moyens depuis qu'un fils de médecin avait mis sa tête à prix. Là où l'eau avait échoué – la semaine précédente, on avait rempli son sous-vêtement de glace –, le feu ferait son œuvre, se dirent ceux qui l'attendaient à la sortie de l'école.

Après l'avoir traîné dans un boisé, ils l'avaient attaché à un peuplier et baissé son pantalon. « Arrête de bouger, avait crié celui qui tenait le briquet, tu vas éteindre mon feu. » Le coton devenu moite par la sueur avait résisté avant de s'enflammer. Le feu avait d'abord noirci un coin du tissu, qui s'était élargi le long de la queue de chemise, formant une ligne qui ressemblait au front d'un incendie de forêt.

C'était l'absence du moindre hurlement qui les avait effrayés.

Alx se rappelle encore l'odeur de peau brûlée qui l'avait suivie jusque dans sa grotte. Cette puanteur était pire que la douleur irradiant son dos. Effleurant le morceau carbonisé de vêtement collé au milieu de la page, il envie sa sœur Lulu qui sait pleurer.

Comme un trappeur levant ses pièges, il consigne chaque jour, dans son Grand Registre, les mots, les images et les petits objets qui se sont pris dans la toile de ses sens. Ces cartables, empilés dans une boîte en plastique, prouveront un jour qu'il n'était ni fou ni idiot.

Parmi les items favoris de sa collection se trouvent une photo de la fusée Saturne V, un dessin de sa grotte, une plume de corneille et un papier sur lequel il avait frotté des pétales de pissenlits. Le portrait de son père, encadré de bleu, se retrouve sur la couverture.

Avec la rigueur d'un traité anthropologique, il avait capturé dans les moindres détails les relations adultères qu'entretenait sa mère, alors que Léon parcourait les chantiers. Les explications, accompagnées d'esquisses, décrivaient les avancées de chacun. Notée au stylo rouge dans la marge, on retrouve la durée de chaque étape menant jusqu'au spasme final. À l'époque, il ne comprenait pas la raison de cette valse intime qui combinait douleur et plaisir. Bien qu'étrange, l'activité lui semblait suffisamment importante pour être consignée. Aujourd'hui, il évite ces pages qui le gênent.

C'est son père qui l'avait convaincu de l'importance de tendre un fil d'Ariane. « Le temps arrache les choses, lui avait-il confié après une journée particulièrement difficile.

Avec la patience de l'éternité, il éradique tes rêves et déracine tes souvenirs, surtout les bons, alors vaut mieux tenir sa propre comptabilité. Savoir par où tu es passé, ça t'aidera un jour à comprendre comment tu en es arrivé là. »

À 14 ans, Alx a l'impression d'être toujours au même endroit, comme si la vie n'avait pas encore décidé de l'usage qu'elle pouvait en faire. Sans amis, il a pour toute possession une vieille bicyclette et cet espace naturel creusé dans un morceau de rivage ouvert sur la baie, d'où il peut observer à son aise les débardeurs assis le long des écoutilles, guidant les grues dans l'antre des vraquiers.

Après avoir collé une petite coquille couleur d'améthyste, il décrit les évènements de la journée en commençant par les conditions météo. Il avait plu en matinée, rendant la chaussée glissante et le chemin de l'école, particulièrement boueux. Une jeune fille l'avait abordé à la récréation en lui chuchotant à l'oreille qu'elle se laisserait embrasser s'il lui disait qu'elle était jolie. Cachées derrière le conteneur à ordures, ses amies attendirent une suite qui n'arriva pas. Le regard d'Alx lui fit perdre son sourire plaqué. Elle se désista, prétextant un besoin urgent d'aller voir ailleurs. « Ça m'a fait une boule dans le ventre », écrit-il avant d'ajouter, en bas de page, une pensée ou plutôt un souhait qu'il espère réaliser bientôt, puis referme son livre et s'allonge dans l'ouverture de sa grotte, tandis que le jour tire sa révérence.

Le long du quai, les lampes halogènes se mettent à dessiner des serpents de lumière sur les vagues qui lèchent leurs blessures après s'être brisées contre la paroi de fer. Un frisson le traverse, alors que la fraîcheur s'installe et que la Grande Ourse, debout sur son manche, le regarde. Ses yeux tirent une ligne entre Polaris et la tête de Cassiopée. Entre les deux, dans la constellation de Céphée, se trouve Alrai. Son père avait choisi cette étoile comme on choisit l'endroit où l'on veut être enterré.

Les souvenirs lui apparaissent tels des fantômes qui s'éveillent, la noirceur venue. Il se rappelle les nuits sans clair de lune où Léon le réveillait aux petites heures et l'assoyait sur la table à pique-nique. Penché derrière lui, il traçait avec son doigt des lignes entre les astres: « Ça, c'est Nostradamus. À droite, c'est l'Orignal et celle-là, tout en bas, c'est le Taureau à quatre cornes... Juste au-dessus de l'horizon, c'est la Cache du gros Jacques... » Les configurations stellaires étaient chaque fois rebaptisées.

La fin de semaine, son père remplissait de bois la vieille cuve au fond de la cour et faisait un grand feu aussitôt la nuit tombée. Les enfants des environs apparaissaient de nulle part comme des phalènes attirées par la lumière. Il sortait alors des petites branches empilées derrière le cabanon sur lesquelles il empalait des guimauves et les distribuait aux gamins qui faisaient la file. Le couvre-feu sonnait avec la dernière braise. Tout recommençait la semaine suivante.

À l'époque, Alx croyait qu'il en serait ainsi jusqu'à la fin des temps. Il ne savait pas comment mesurer la fin des temps, mais il se l'imaginait très loin. Son père pensait sans doute la même chose en ce matin du 14 octobre 1975, alors qu'il grimpait l'échafaud longeant un édifice en construction. Le signaleur, qui, la veille, avait remporté toutes ses parties de billard et bu tous ses gains, n'avait pas les yeux sur la nacelle. Croyant la charge libre de ses élingues, le grutier remonta le grappin. Sa mâchoire se décrocha lorsqu'il vit la poutre de cinq tonnes tomber dans le vide. Léon fut projeté contre le mur de briques avant de se retrouver couché sur un madrier. Il ne s'aperçut pas sur le coup que sa jambe droite manquait.

Au lieu de l'abattre, l'accident lui permit de se réinventer. Du jour au lendemain, il passa de menuisier à sculpteur. Ses pièces, qui ressemblaient vaguement à des êtres humains équipés d'organes génitaux surdimensionnés, ne trouvèrent pas preneur. Seule une vieille dame presque aveugle, et voyant autre chose dans l'œuvre, lui offrit quelques sous pour son effort.

À court d'argent et d'arguments, Marie-Louise jeta dans la mêlée ses frères, ses sœurs et ses cousins, allant jusqu'à demander au curé d'intervenir pour qu'on retrouve la boule perdue de son mari.

Têtu comme une mule et prompt aux jurons, Léon Stanlie acceptait rarement les conseils des autres. Celui que l'on surnommait « Trotski » prenait un malin plaisir à étaler ses idées prolétaires devant un auditoire désintéressé qui le laissait déblatérer. Certains disaient que c'était un original en mal d'attention. D'autres croyaient plutôt qu'il avait des nids de poule dans la tête. C'était un homme de conviction, toujours prêt à en payer le prix, et en ce sens, il était d'une intégrité remarquable. Avant de se marier et de perpétuer la race, il avait fait changer son nom de famille, prétextant une erreur de prononciation qui s'était transmise d'une génération à l'autre. « C'est pas Stanley, c'est Stanlie ! Vous avez fini d'insulter mes ancêtres ? » avait-il lancé au fonctionnaire qui doutait du bien-fondé de sa requête. Sa détermination finit par avoir gain de cause. Personne ne s'aperçut que Stanlie était, en fait, un Staline déguisé.

Il ne s'arrêta pas là. Malgré toutes les protestations de Marie-Louise, il amputa le *e* trop bourgeois à son goût d'Alex. « Tu n'as qu'à le prononcer à l'anglaise », lui dit-il. Quelques minutes avant le baptême et pour ajouter à l'injure, il substitua au troisième prénom, qui aurait honoré la mémoire du grand-père de sa femme, à celui d'un satellite de Neptune. C'est ainsi que Joseph Alx Hypérion Stanlie entra dans les registres.

Sa foi en l'avenir rendait même les plus croyants mal à l'aise. Une conviction profonde l'enjoignait à ne pas douter: sa descendance ne manquerait jamais de rien. Il continua à sculpter ses morceaux d'érable et maintint le cap jusqu'à ce que la vie mette en travers de sa route une nouvelle épreuve. S'il eut peur pendant les cinq semaines que dura son agonie, il ne le montra pas. Les traitements lui firent perdre ses cheveux toujours en désordre, puis ses dents. Ses muscles fondirent au point qu'il semblait porter une peau deux pointures trop grandes. Malgré la douleur que la morphine arrivait mal à engourdir, malgré le sang craché dans un mouchoir, et même s'il était conscient que sa vie allait bientôt s'éteindre comme une chandelle au bout de sa mèche, jamais il ne perdit courage devant ses enfants. « Fa va aller. Mâ mâ fortir », répétait-il, incapable de prononcer les mots correctement.

En dépit de tous ses efforts et de toutes ses promesses, Léon Stanlie fut emporté un jour de novembre. Le village venait de perdre son sculpteur.

•

L'Anse-aux-Bernaches est surtout connue des camionneurs qui s'y arrêtent pour faire le plein avant de s'enfoncer dans la Basse-Côte-Nord. L'église Sainte-Marie, trônant sur son promontoire, et l'école des Bons-Pasteurs, perdue dans un clos à vache, forment les deux plus grands édifices de la place. La Caisse populaire, la quincaillerie, la boutique de sports et le resto Chez Johanne constituent l'avenue commerciale. Seul bâtiment du côté de la mer, l'hôtel Beauséjour défie les intempéries depuis plus de 50 ans. L'auberge blanchie à la chaux est coiffée d'un toit en métal rouge et ornée de fenêtres à carreaux dont la beauté reste cachée sous les persiennes.

Après l'avoir acheté pour une bouchée de pain, David Inniss y emménagea dans l'une des pièces et fit retaper à grands frais son restaurant-bar et les six chambres à l'étage dont il avait gardé les noms évocateurs. Les « Quartiers du roi » et la « Suite de la reine » se partagaient les extrémités. Entre les deux, on avait baptisé quatre chambrettes en l'honneur de régents français que personne ne connaissait.

De mauvaises langues racontent que ce n'est pas le mal du pays qui a ramené David au village, mais plutôt une affaire louche ayant tourné au vinaigre. Quoi qu'il en soit, tous se demandent comment un si modeste commerce peut générer autant de revenus. Amateur de belles choses, celui qu'on surnomme Chromé et qui, malgré les évidences, nie ses origines naskapies, paie grassement deux jeunes pour astiquer sa Mustang Cobra GT marine, sa Camaro SS décapotable sang-de-bœuf, sa camionnette à quatre roues motrices et son *chopper*.

•

En rade dans la baie de l'Anse-aux-Bernaches, un vraquier enregistré au Libéria renifle le large. Le Médusa attend les dernières autorisations avant de mettre le cap sur le port de Bengkulu dans l'île de Sumatra.

Après s'être relayé pendant les trois jours que dura le chargement des lingots d'aluminium et des vivres, le capitaine Lech Parteka, fait vider le bar du Beauséjour et réunit son équipage pour leur offrir une dernière tournée, tandis que dans l'antichambre, son homme de main finalise une transaction avec le propriétaire de l'établissement.

– Tu as le *stock ?* demande David.

T-Rex ignore la question. Dressé à l'école de la police secrète polonaise, Igor Tobaleski, de son vrai nom, est un exécutant fait de muscles et de peu de mots.

Ses canines métalliques se mettent à briller en apercevant la vodka. Après lui avoir servi un verre, son hôte dépose 25 000 dollars américains sur la table. T-Rex retire de sa vareuse une boîte en fer qu'il place à côté du magot. David l'ouvre avec sa clé, puis substitue l'argent à la drogue. Il essuie ensuite le contenant avec une serviette en papier, comme si le geste pouvait absoudre le méfait, et le remet au géant qui l'enfouit sous son manteau. La transaction complétée, il se laisse choir sur sa chaise, respire un bon coup, et lève son verre.

– Santé, Igor.

Une rumeur courait concernant le Médusa. Malgré ses déboires passés, David, qui n'a pas appris à fermer sa grande gueule, décide d'en avoir le cœur net.

– Paraît qu'il se passe des choses étranges sur votre bateau.

T-Rex se lève et l'attrape par le bras avant qu'il ne s'échappe. Dans le bar, tous les regards se tournent vers la porte, d'où vient un cri à dresser les cheveux sur la tête, puis vers le capitaine qui continue à boire sa bière comme si de rien n'était.

Une fois sorti de l'hôtel, T-Rex suit le chemin bordant la côte, puis enjambe la clôture qui le sépare de la plage pour longer le rivage sur un demi-kilomètre. Après s'être assuré que personne ne l'épie, il se penche derrière une pierre pour aligner sa position avec celle du phare au bout du quai. Satisfait, il creuse un trou, y enterre sa boîte et bénit le granit d'une croix orange. Il ne reste plus qu'à passer la zone d'inspection, emprunter la navette jusqu'au Médusa et revenir sur les lieux à l'aide d'une embarcation pour récupérer le magot.

•

Au bord du fleuve, la mer reprend ses terres dans un impressionnant mascaret typique des marées printanières, tandis que le vent du large charrie jusqu'à terre le vrombissement de la navette venue cueillir l'équipage.

Blotti dans sa cache, Alx suit des yeux l'ombre qui s'éloigne. C'était plutôt inhabituel d'apercevoir un promeneur à ce temps-ci de l'année, et en pleine nuit de surcroît. Il sort de son repaire pour aller examiner les traces de pas. La curiosité l'emportant sur la prudence, il part en chasse derrière les foulées qui s'espacent les unes des autres par près d'un mètre.

La piste longe la côte avant de tourner vers les terres et de disparaître derrière les herbes hautes. Il est sur le point de rebrousser chemin lorsque le dessin de la croix attire son attention. Du sable fraîchement remué entoure la roche. Après l'avoir examiné, Alx se met à creuser le long de la pierre, jusqu'à ce que le sol s'effondre. Glissant la main dans la cavité, il croit toucher un tesson de verre, mais l'arête est trop bien définie, ce qui l'incite à poursuivre. Une fois la taille de l'objet estimée, il passe l'index et le majeur sous la pièce, serre avec le pouce et tire.

La lune trace un rond de lumière sur la boîte grise, qui n'est pas vide à en juger par son poids. *Peut-être ne contient-elle que de la vase,* se dit-il pour ne pas être déçu. Un bruit sec le fait sursauter au même moment. Il a à peine le temps de se retourner, qu'une main le saisit par l'épaule et le projette au sol. La boîte dessine un arc de cercle dans les airs et se plante debout dans le sable. Alx lève les yeux devant l'ombre qui se met à parler : « Voleur ! » La menace prononcée en polonais n'atteint pas sa cible. Alx cherche à s'éloigner en se traînant, mais Igor le devance et allonge son bras comme une grue descendant sur sa charge, puis accroche le garçon par la veste et le soulève. « Voleur ! » répète-t-il en ajustant l'autre main autour du cou de sa victime. Ses doigts s'enfoncent de chaque côté de la gorge, jusqu'à ce que ses ongles trouvent les tissus cartilagineux. Alx se met à donner des coups de pied dans le vide, comme un pendu au bout de sa corde, pendant que T-Rex, les yeux fermés pour mieux se concentrer, maintient sa prise. D'abord aiguë, la douleur finit par s'estomper pour laisser place à une chaleur enveloppante. La lumière ambiante inonde ses pupilles dilatées, créant une image vaporeuse que l'on imagine être la dernière avant que tout ne s'éteigne. Ses jambes cessent de battre, ses bras retombent le long de son corps.

Le claquement d'une portière force T-Rex à lâcher prise pour se dissimuler derrière un tronc d'arbre, tandis qu'Alx s'affale sur la plage, inconscient. La voiture se vide de ses occupants qui entrent au restaurant Chez Johanne, de l'autre côté de la rue. L'un d'eux reste à l'extérieur pour finir sa cigarette. À demi plié, Igor étire le bras et saisit Alx par les pieds pour le traîner vers la mer, jusqu'à ce qu'une barrière de glace l'empêche de continuer. Déterminé à mener son travail à bien, il soulève le corps à bout de bras et le lance en direction du fleuve. Après avoir jeté un dernier coup d'œil sur ce qui ressemble à un pantin désarticulé, il récupère le contenant et reprend sa route vers le quai.

•

Chaque année, la mi-avril ramène au village deux choses chères à sa population : la fin tant attendue de l'hiver et le fameux concours « Devinez la débâcle » de la station radiophonique communautaire, qui invite ses habitants à prédire la date et l'heure du dégel. Depuis deux semaines, on papote sans arrêt sur le gros lot. Il s'agit d'une embarcation de pêche accompagnée de 200 dollars en coupons-rabais, bons pour l'achat d'agrès à la boutique de sport.

La bouée ancrée en face de l'église sert de repère officiel à la garde côtière qui joue les juges. La glace a rompu ses amarres depuis une dizaine d'heures lorsque la station annonce le gagnant en grande pompe. Cléophase Dugas du Rang Cinq avait inscrit, sur son formulaire, le 7 avril à 8 heures du matin. D'après l'œil du sergent Perron, la débâcle s'est amorcée le 7 à 9 h 40. Aussitôt la nouvelle connue, un groupe improvise une vente aux enchères sans même consulter ce vétéran de la guerre du Vietnam, qui a accroché sa canne à pêche depuis belle lurette. On traque le pauvre jusque dans sa salle de bain. Quelqu'un va même déposer sur son perron un chèque accompagné d'une caisse de bière.

La surface glacée se désarticule en moins d'une journée. Certains morceaux descendent le fleuve, alors que d'autres, entraînés par des courants contraires, le remontent. Bon nombre de plaques s'empilent sur la grève pour former des sculptures angulaires.

•

La marée montante se met à lécher les pieds d'Alx, revendiquant un peu plus de terrain à chaque élan. L'eau s'infiltre dans ses bottes, contourne ses jambes pour ensuite se glisser sous ses reins. Le contact glacial sur sa peau rougie finit par le sortir de sa torpeur. Il frissonne, puis ouvre les yeux sur une obscurité presque totale. Son épaule lui fait mal et du sang coule dans sa gorge meurtrie. Après s'être retourné, il lève la tête en poussant sur ses avant-bras, mais l'effort est de courte durée. L'eau encercle ses coudes calés dans le sable. Il serre les dents, contracte ses muscles et se met à ramper en faisant, sans le savoir, un demi-tour qui l'approche des flots plutôt que de l'en éloigner. Après avoir heurté un bloc de glace qu'il n'a plus la force de contourner, il rassemble ce qui lui reste d'énergie pour le grimper et s'y recroqueviller avant de perdre à nouveau connaissance.

Le reflux des vagues finit par dégager la plaque de glace. Les battements de son cœur s'espacent, alors qu'il gagne le large, laissant sur le sable des traces pareilles aux tortues naissantes qui traversent la plage pour rejoindre l'océan.

Les coups de sirène dénotent l'impatience du bateau-taxi venu cueillir les marins, arrivés au débarcadère. L'un d'eux saigne du nez. Les autres chantent ou plutôt crient d'une voix discordante des refrains révolutionnaires de la vieille époque. Personne n'ose questionner T-Rex qui apparaît de nulle part. L'embarcation largue ses amarres aussitôt le dernier passager à bord et commence à fendre la mer en créant de longues vagues qui font tanguer le radeau d'Alx.

•

L'inspecteur venait tout juste de compléter sa paperasse et il ne manquait plus qu'une signature pour libérer le Médusa. Appuyé à la rambarde, Minh emmagasine les sons et les odeurs en provenance de la terre ferme. Sur la promenade, un homme engueule son chien qui aboie. Deux gamins lancent des brindilles dans un feu de camp. Une voiture, toutes fenêtres ouvertes, crache une musique assourdissante.

Chaque membre d'équipage, y compris le cuistot, participe aux manœuvres. Au premier coup de sirène, Minh a pour tâche de remonter l'escalier amovible fixé au flanc du navire. Il attend les ordres lorsque son regard capte une tache noire au milieu d'une glace qui défile le long de la coque, entraînée vers la poupe par l'hélice qui tourne paresseusement. C'est plutôt inhabituel d'avoir un phoque ou un loup marin à portée de main. *L'animal fera une excellente viande,* se dit-il en descendant les marches quatre à quatre. Mais en s'approchant, la masse change de forme. Minh cligne des yeux : il s'agit bien d'une paire de jambes. Il jette sa cigarette, serre la ceinture de son gilet de sauvetage et remonte pour accrocher le mousqueton de sa corde de sécurité à la rambarde. Après avoir sorti la gaffe, cette longue perche munie d'une pointe et d'un crochet, il redescend à temps pour piquer la glace. La gaule plie avant de se briser. Entraînée par le courant, la glace vient s'appuyer contre l'escalier qui se déforme sous la poussée. Les mains agrippées à la rampe, Minh saute sur la plaque et la cale juste assez pour la faire passer sous la structure. Le corps d'Alx se coince contre la dernière marche. Minh saisit le malheureux par le pied, tandis que la glace est mise en pièces par l'hélice. Il détache sa corde de sécurité et l'entoure autour de la cheville du garçon qui disparaît sous l'eau. La corde commence à se délier pendant que tournoie sa jambe. Il ne faut rien brusquer. « Doucement, Minh, doucement. » Il plonge sa main le long de la cuisse d'Alx et trouve sa ceinture. Le dos raidi, il bascule vers l'arrière et le sort d'un seul élan, tandis que le haut-parleur crache les ordres du capitaine. Après l'avoir chargé sur son épaule, il s'éclipse dans l'antre du navire en priant pour que son rescapé soit toujours vivant. C'était une prise incroyable.

Aussitôt la porte de sa souillarde fermée, Minh étend Alx sur le plancher, puis le soulève d'une dizaine de centimètres, et le glisse sur la tablette soudée à l'entrejambe de la table. Le premier coup de sirène est donné, tandis qu'il rabat le rideau de jute et se rend à son poste avant que l'avertisseur ne sonne de nouveau. Au troisième appel, le bateau vibre de toute sa carène et le paysage se met à défiler. Les premiers mètres vers l'île de Sumatra sont franchis.

# II

L'arôme émanant de la cafetière envahit la cuisine avant de se faufiler jusqu'au salon, puis de monter à l'étage où elle passe sous les portes. L'effluve parvient au nez de Marie-Louise qui se relève d'un rêve dans lequel son mari et son fils lui sont apparus dans l'atelier. Sans jambes, Léon flottait d'un outil à l'autre, tandis qu'assis sur un tabouret, Alx dessinait des maisons. Aucun bruit ne sortait des scies et des marteaux qui allaient bon train. De la fenêtre du sous-sol, elle cherchait les yeux d'Alx, sans jamais les trouver.

La sonnerie du réveil fit disparaître la scène. Si les scénarios variaient d'une fois à l'autre, le message, lui, restait le même. Il s'agissait du châtiment pour ses frasques amoureuses. Trop occupé par ses folies de grandeur, Léon en avait peu souffert. C'est Alx qui payait les frais de cette faillite de cœur, une faillite dont on ne se remet jamais.

L'amour de sa vie s'était présenté sous la forme d'un éboueur qui passait dans sa rue deux fois par semaine, alors qu'elle était enceinte de Lulu et qu'un gamin s'accrochait à sa robe. Il était grand et mince, avec un sourire chaleureux et des mains enveloppantes comme une couette de lit. Marié et père de jumelles, des brunettes d'à peine six ans, il était indépendant comme un chat, avec une tête remplie d'idées.

Après trois mois d'une relation torride et parfois tumultueuse, Marie-Louise exigea une date et un plan. Le 13 mai de la même année, ils allaient quitter ce bled de rien du tout pour enfin commencer leur vie. Le travail ne manquerait pas. La quantité d'ordures urbaines doublait tous les cinq ans. Il proposa la côte Ouest. Il aurait choisi la planète Mars que ça n'aurait rien changé au bonheur de Marie-Louise. Ils seraient ensemble, le reste n'avait pas d'importance.

Léon passait ses semaines à plus de 300 kilomètres du village, ce qui facilita les préparatifs. À la fois excitée et morte de peur, elle se pointa à l'heure et à l'endroit convenu avec son petit garçon et ses deux valises. Le train entra en gare, libérant ses passagers à moitié endormis pour en prendre d'autres qui frissonnaient dans l'air frais de la nuit.

Elle espéra jusqu'à la dernière seconde, supplia le contrôleur d'attendre encore un peu, mais ce fut en vain. Il ne se présenta pas. Elle rentra à la maison avant que le voisinage ne se réveille, puis s'enferma dans sa chambre pour pleurer jusqu'à ce qu'il ne reste plus rien. Une révélation la frappa lorsqu'elle fut au bout de ses larmes : il avait eu un empêchement. La date avait été mal choisie, mais le plan tenait toujours. Son épouse, ou plutôt son ex-épouse, précisa-t-elle en souriant, avait peut-être flairé quelque chose, l'obligeant à faire marche arrière.

Elle ne défit pas ses valises, convaincue qu'ils partiraient le soir même ou le lendemain. Après avoir consolé Alx à qui elle avait promis un grand tour de train, elle se remit à fredonner en ayant un œil sur l'horloge qui laissa filer les heures, puis les jours.

Quelques semaines plus tard, elle apprit qu'il avait quitté le village avec femme et enfants. On racontait qu'il était parti quelque part aux États-Unis. Dans le Maine ou le Vermont, personne ne savait vraiment. Son monde s'écroula et avec lui, l'espoir d'être un jour heureuse.

Fruit du hasard ou de la mesquinerie de la vie, son fils, en grandissant, se mit à ressembler à cet homme qu'il n'avait pourtant jamais vu. La similitude était surtout dans ses yeux blasés que rien n'ébranle. Et il y avait cet air désinvolte, cette indépendance de caractère qui échappe à toute emprise.

Marie-Louise se vengea par procuration. Des hommes sans intérêt commencèrent à défiler dans sa chambre, alors qu'assis dans un coin avec son cahier à colorier sur ses petites jambes, son propre fils était sommé de regarder en silence. « Ça m'excite », disait-elle à ceux que la situation intimidait. Le plus souvent, la bête prenait le dessus sur l'homme. Effrayé par cette violence consensuelle et ces extases déplacées, Alx devint à son tour une victime dont il ferait longtemps les frais.

Vide de sens et de véritable plaisir, l'activité commença à s'espacer pour s'arrêter le jour où Alx tomba endormi sur sa chaise, alors que s'approchait la grande finale. Au sentiment d'échec de n'avoir pu venger sa peine s'ajouta celui d'être une mère indigne qui avait ruiné le peu de chance de voir un jour son fils mener une vie normale.

Après quelques étirements, elle saute du lit, traverse le corridor en cognant au passage à la porte de chambre d'Alx et de Lucie, puis s'arrête à la salle de bain pour enfin descendre à la cuisine où l'attend son café. À la radio, l'animatrice discute avec son invité de l'impact qu'aura la chute d'Idi Amin Dada sur les dictatures avoisinantes.

Les nouvelles de sept heures commencent lorsque Lucie se montre le bout du nez avec un visage qui n'entend pas à rire.

– Lulu, va réveiller ton frère.

– Pourquoi c'est toujours moi qui dois sortir Aless du lit, lance-t-elle en pestant, incapable de prononcer les *x*. Il est trop paresseux pour...

– Lulu, s'il te plaît !

La petite remonte à l'étage. « Aless ! Lève-toi, crie-t-elle en frappant la porte de son poing, lève-toi, crétin ! » Pas le moindre craquement ne se fait entendre. Les renforts sont déjà en route. Marie-Louise, prête à sermonner son fils, entre dans une chambre vide. Elle lui avait interdit de coucher dans sa grotte. Ils s'étaient querellés la veille à ce propos. Les nuits étaient trop froides, et c'était jour de classe.

Huit heures sonnent. La colère cède sa place à l'inquiétude. Toujours sans nouvelles, Marie-Louise téléphone à l'école. Personne n'a vu Alx, confirme Madame Desgagné. La réponse de la directrice ne fait qu'ajouter à son angoisse. C'était une femme omniprésente qui entendait et voyait tout, et qu'on consultait pour en apprendre davantage sur les dessous des potins.

Lulu revient à la maison sur l'heure du midi et annonce à sa mère, au bord de la panique, que son frère était probablement parti à la recherche de sa voix. Ils en avaient souvent parlé. Alx disait tout sans rien dire.

« J'appelle la police ! », s'écrie Marie-Louise.

Lulu entame son sandwich, pendant que Marie-Louise fait les cent pas, en maugréant. « Chercher sa voix, chercher sa voix. Mais il a déjà une voix ! Il n'a qu'à s'en servir. »

C'est également ce que pensait l'orthophoniste pour expliquer l'aphasie de son fils, alors qu'il n'avait que trois ans. « Alx possède tous les morceaux. Ça va vous paraître étrange, mais il ne parle pas parce qu'il ne sait pas comment faire. »

« Ridicule ! » avait-elle répliqué. Si on devait comprendre le fonctionnement de l'élocution avant de formuler un mot, le monde serait encore sans voix. Sa logique ne changea rien à la situation. Après avoir passé l'hiver à l'asseoir devant un miroir et à lui tordre la bouche en récitant des comptines pour qu'il articule quelque chose d'intelligible, elle dut se résigner. Son fils était sans mots.

« La parole gâche tout, murmure Lucie en terminant son assiette. J'espère qu'il ne la trouvera pas. » Elle le lisait comme un livre ouvert et enviait cette belle âme que l'élocution aurait ruinée.

Les tout premiers mots prononcés par Lulu l'avaient mal servie, et les suivants ne firent pas mieux. Elle en apprenait beaucoup et les employait abondamment. On disait qu'elle parlait trop, qu'elle n'écoutait pas assez, mais c'était surtout ses questions inquisitives qui irritaient son entourage. Personne ne comprenait cette résistance à accepter le caractère immuable des choses. On s'étonnait de cette opposition devant les vicissitudes d'un quotidien rassurant, justement parce qu'il était prévisible. Lulu était trop jeune pour être désillusionnée, pour savoir que la vie n'était qu'un constant flux et reflux des mêmes banalités, agrémentées de temps à autre par un quelconque soubresaut.

En quête de savoir, la petite, alors âgée de sept ans, se mit à poursuivre les témoins de Jéhovah de sa rue en les bombardant de questions sur la grandeur et la raison des choses, mais rien de ce qu'on lui dit ne la contenta. Elle se tourna donc vers son Église.

La formation épiscopale qu'avait reçue le curé de la paroisse l'avait préparé à bien des choses, mais pas à cette peste qui commença à le bousculer. « Pourquoi Dieu est un homme ? S'il te regarde – elle le tutoyait, ce qui ne faisait qu'exacerber son malaise – est-ce qu'il me fait dos ? Quelle langue parle-t-il ? Va-t-il aux toilettes ? S'il n'y va pas, ça veut dire qu'il ne mange pas. Quand il prie, à qui il parle ? Dieu a forcément une femme, puisque nous sommes tous ses enfants, comment s'appelle-t-elle ? Pourquoi on ne la voit jamais ? » On lui disait de croire sans poser toutes ces questions idiotes. « Dieu est dans tout ce qui existe, ma petite Lulu », avait un jour déclaré le curé, confiant d'avoir trouvé l'argument qui lui clouerait enfin le bec. « Il est donc dans le mal, lui avait répondu Lucie, puisque le mal existe. » Le pauvre homme s'était éclipsé en serrant les poings. Puis, il y eut l'enfer : « Pourquoi il est chaud plutôt que froid ? Pourquoi le diable est rouge ? Il pourrait être bleu. Ou mauve. » Le vin, le tabernacle, la fête de Pâques suscitèrent d'autres questions. Le prêtre en vint à faire de l'urticaire et fit tout pour éviter la fillette. Il appréhendait déjà la conversation autour de la Vierge Marie, Mère du monde, le jour où Lulu apprendrait comment on fait les enfants.

•

Au milieu de l'après-midi, une voiture de police arrive à la maison des Stanlie avec ses feux et sa sirène. Alertés par le brouhaha, les voisins agglutinés sur le trottoir spéculent sur ce qu'a pu faire le garçon.

Assise sur le sofa du salon, Marie-Louise, en compagnie de Lulu, répond aux questions de l'inspecteur, tandis que crépitent les radios portatives. Des policiers examinent la chambre d'Alx, pendant que d'autres font le tour de la propriété.

On demande à la mère de raconter ses derniers moments en compagnie de son fils.

– Peut-il être chez un ami ? s'enquiert l'inspecteur.

– J'ai téléphoné partout. Personne ne l'a vu. D'habitude, il se rend à sa grotte au bord de la mer, répond Marie-Louise qui serre la main de Lucie.

– Vous savez où se trouve cette grotte ?

– Non. C'est un secret.

– Moi, je sais où elle est, annonce Lulu. J'y vais parfois.

Marie-Louise la regarde, étonnée. Alx avait toujours refusé de lui dire où elle se trouvait. Non seulement Lucie sait où elle est, mais elle s'y est déjà rendue. Ce pénible constat ne fait qu'agrandir le fossé entre elle et son fils.

– Tu peux m'y emmener ?

Lulu fait un signe de tête.

Après avoir recueilli les témoignages, le responsable affecte deux subalternes au ratissage de la plage avant de partir avec Lucie et sa mère.

– C'est encore loin ? demande l'inspecteur qui marche en tenant la main de la petite.

– C'est l'autre côté de cette bute, répond Lulu, tandis que Marie-Louise suit derrière en songeant à quel point elle ne connaît rien de la vie de son fils.

L'inspecteur sourit devant l'ingéniosité d'Alx pour dissimuler sa cache. Il rampe à l'intérieur et en ressort quelques minutes plus tard avec un cartable.

– C'est plutôt confortable, là-dedans, il y a des chandelles et une couverture. J'ai trouvé ceci sur le dessus d'une boîte. Vous savez ce que c'est ?

Marie-Louise fait un signe embarrassé. Non, elle ne sait pas. Elle ne sait rien.

– C'est le Grand Registre, répond Lulu.

– Vous permettez que j'y jette un coup d'œil ?

Autre signe de tête.

Il feuillette rapidement jusqu'à la page courante, datée de la veille.

– On dirait un journal intime.

Son doigt se met à suivre les lignes. Sa main monte derrière sa nuque en lisant la note tout en bas. « Je partirai par la mer »

La marée avait remis la plage en ordre, avalant boîtes de conserve, sacs de plastique et autres rebuts pour en faire des piles, qu'elle avait recrachées çà et là. L'un des policiers arpentant la côte trouve une casquette coincée sous un tronc d'arbre. Le nom du propriétaire y est brodé sur un écusson rouge: « Léon Stanlie, sculpteur ». Marie-Louise se laisse tomber sur les genoux en apercevant l'agent qui s'approche avec un objet familier entre les mains.

•

L'homme, c'est bien connu, a horreur du vide. Les opinions se polarisent rapidement. Certains, croyant qu'Alx est un simple d'esprit, s'imaginent qu'il s'est fait embarquer par un déviant sexuel, qui, après en avoir abusé, l'aura tué et enterré quelque part sur la plage. D'autres pensent qu'il a simulé sa mort avant de partir. On le ferait à moins, d'après plusieurs. Quand ce n'est pas l'épicier ou le pharmacien qui réchauffe le lit de sa mère, c'est un commerçant de passage, un employé de la voirie ou un homme du port. Quant à ses confrères de classe et ses professeurs, ils restent convaincus qu'il pend au bout d'une corde, quelque part dans la forêt.

## III

Minh retourne à sa cabine après avoir passé la soirée à l'infirmerie en compagnie de son rescapé. Une fois au lit, il allume sa lampe de chevet et ouvre son journal de bord, déguisé en livre de recettes. Il utilisait ce stratagème depuis qu'on était venu fouiller dans ses choses pour une raison encore inconnue.

Chaque page commence par une liste anodine d'ingrédients rédigée en anglais. Ses états d'âme, exprimés en coréen et donc illisibles pour les membres d'équipage, se retrouvent dans la section « Préparation ».

Après avoir appelé son chat, il sort son stylo et se met à écrire.

### Soupe aigre-douce au poisson

***Ingrédients***

– 600 g de poisson de type mulet ou merlu
– 1,5 l d'eau bouillante
– 1/4 d'ananas ou 1/2 petit ananas
– 3 tomates
– 12-15 gombos
– 2 tiges de taro
– 150 g de germes de haricots mungo
– 3 gousses d'ail frit
– 1 gros oignon

– 8 tiges d'herbes à paddy ou s'il n'y en a pas, du basilic thaï
– Quelques brins de coriandre
– 3 c. à s. de jus de citron ou de vinaigre de riz
– 3 c. à s. de saumure de poisson
– 1 c. à t. de sel

***Préparation***

*Température, 8 °C. Vent froid du nord-est. Mer légèrement agitée.*

*Le garçon repêché sur la glace juste avant notre départ était encore vivant. Le capitaine m'a félicité pour cette belle prise. C'est vraiment un coup de pot. Nous qui cherchions des combattants nord-américains, en voilà un qui tombe du ciel ! Il semble avoir une bonne constitution et le scientifique en chef venu l'examiner pense qu'il a seulement souffert d'hypothermie.*

*Vers 2 h 30 du matin, le tatoueur est venu le plaquer comme une voiture. Il lui a buriné le matricule NA15 sur l'avant-bras. C'est mon chiffre chanceux. J'espère qu'il a ce qu'il faut. J'ai perdu 200 dollars dans les derniers combats. Avec le Don du ciel, il n'y a plus rien qui tient. Les plus petits tuent les plus gros avec une facilité déconcertante.*

*J'ai hâte de voir comment NA15 va s'en sortir. On le saura dans quelques jours.*

*Au menu demain, spaghettis et lasagnes. Je ne comprends pas pourquoi ils réclament chaque semaine cette bouffe de con.*

•

Une fois au large et après s'être assuré qu'aucun navire n'était dans les parages, le capitaine pousse les gaz. Il s'offre ce petit plaisir chaque fois qu'il en a l'occasion. Dans le ventre du Médusa gronde un moteur capable d'échapper à d'éventuels poursuivants. Les propriétaires ont remplacé la motorisation par une unité turbo diesel que l'on trouve sur les torpilleurs de pointe. Ils ont également renforcé la coque, ajouté deux hélices et construit trois entreponts où s'empilent des conteneurs dont on a changé la vocation.

Le premier entrepont a été aménagé en appartements pour les scientifiques, avec deux laboratoires et une chambre froide pour disposer des cadavres. Dans les corridors, les fluorescents renvoient une lumière blanchâtre sur les étagères remplies d'encyclopédies médicales et d'items typiques d'un cabinet de médecin. L'équipage évite l'endroit à la forte odeur de camphre et de chloroforme.

Un plancher à mi-hauteur a été ajouté aux conteneurs du deuxième entrepont qui abrite une soixantaine de cellules dans lesquelles s'entassent des enfants chinois, vietnamiens, indiens et africains, vêtus seulement d'un caleçon et d'une camisole. Souillés par l'urine et la sueur, les combattants, comme on les appelle, sont âgés de 8 à 14 ans. Certains sifflent en attendant leur tour. Les autres pleurent ou gardent le silence. Les réactions au Don du ciel varient selon le dosage, la provenance du candidat et son état psychologique.

En fond de cale se trouve une cage constituée de quatre conteneurs soudés dos à dos et dont on a découpé les parois contiguës. Les murs extérieurs sont grillagés et peuvent se dissimuler rapidement derrière des battants. Chaque soir, le ring accueille de deux à quatre combattants. Invité au spectacle, l'équipage fait des paris sur l'issue des combats. Chaque matin, le scientifique en chef sélectionne les prochains adversaires avant de les transférer dans le conteneur vert, et de rendre officiel le programme de la soirée. C'est alors que se précisent les enjeux et que l'on place son argent. La cagnotte peut doubler si le pugiliste survit à son troisième affrontement, ce qui n'est jamais encore arrivé.

On permet aux hommes d'assister à cette barbarie pour s'assurer de leur loyauté. Personne ne pourra clamer l'ignorance, s'ils venaient à se faire prendre. Ils étaient littéralement tous dans le même bateau.

Mais si tout le monde est au courant de ce qui se passe sur le bâtiment, très peu savent qui tire les ficelles.

La Corée du Nord entretient depuis toujours l'image d'un peuple arriéré, figé dans les années 1950. C'est peut-être vrai sur bien des choses, mais pas sur tout. Les grands penseurs du Parti Central Communiste, le PCC, demeurent convaincus que la prochaine guerre ne se gagnera pas par les armes sur les champs de bataille, mais avec de la drogue, dans les rues des centres urbains. Il ne s'agit donc plus de faire exploser l'Occident, mais de le faire imploser.

Deux années auparavant, le PCC avait donné son aval à un premier essai. La ville de Surate, en Inde, avait été sélectionnée pour son abondance de sans-abri et les tensions qui régnaient entre hindous et musulmans. On distribua gratuitement le Don du ciel pendant deux mois avant de couper le ravitaillement. La nouvelle race de toxicomanes mit la ville à feu et à sang. Les morts se comptèrent par milliers et les autorités indiennes durent faire des pieds et des mains pour rétablir l'ordre. Une épidémie de peste se déclara par la suite, faisant grimper le nombre de victimes. Une autre expérience eut lieu au Burkina Faso, où des accros au Don du ciel, armés de pelles et de bâtons, descendirent dans le seul quartier nanti de Ouagadougou pour le piller et l'incendier. Effrayées par l'intensité de la violence, les forces de l'ordre refusèrent d'intervenir. Trois jours plus tard, il ne restait que des ruines jonchées de cadavres.

Mais c'est l'Ouest que l'on vise, en commençant par les États-Unis, puis l'Allemagne, suivis de la France et de l'Angleterre. La Russie, dont les allégeances politiques changent comme la direction du vent, demeure un cas incertain.

Découvert accidentellement en Chine dans les années 1940, le Don du ciel a des effets qui commencent seulement à être compris. « La drogue altère la production de deux neurotransmetteurs et d'une hormone essentiels au comportement humain, expliqua un jour le scientifique en chef aux membres des services secrets du PCC. Une quantité phénoménale de dopamine est d'abord produite. Cette amine transporte le consommateur au septième ciel, à cet endroit de bien-être qu'il passera le reste de sa vie à rechercher. La sérotonine, qui empêche de sombrer dans la dépression, est neutralisée, créant une véritable crise d'angoisse. Finalement, il y a un afflux d'adrénaline, cette hormone du stress bien connue, sécrétée en réponse à un danger ou à une activité physique intense. Elle est cependant dégradée rapidement par des enzymes, ce qui en limite l'effet à quelques minutes. Une molécule contenue dans le Don du ciel inhibe ces enzymes et en prévient la décomposition. »

Le chercheur prit une pause afin de s'assurer que tout le monde le suivait. Il ne pouvait l'expliquer plus simplement. « En résumé, disons qu'en contrôlant la séquence et la production de dopamine, de sérotonine et d'adrénaline, nous sommes en mesure d'amener un individu au paradis avant de l'envoyer en enfer, et de lui fournir le bras justicier qui le soutiendra dans sa reconquête de l'éden. Nous ajoutons à la mixtion une faible quantité de morphine, qui insensibilise à la douleur. »

Des sourires s'étaient affichés dans la salle. Il poursuit. « Nous travaillons sur une nouvelle mouture appelée Don du feu, et qui nous permettra d'identifier, dans la tête du patient, son dieu et son diable. Vous aurez alors un individu dont vous contrôlerez les motivations, et qui fera tout pour atteindre ses objectifs. »

Et pour prouver ses dires, il présenta une vidéo où l'on voyait un garçon de dix ans matraquer à mort un jeune homme en pleine possession de ses moyens. « L'homme a réussi à lui casser le bras gauche avec son gourdin, commenta-t-il, alors que les images défilaient, ce qui ne l'a ni effrayé ni arrêté. Le gamin, dont la force est devenue surprenante, ne ressent aucune douleur. Il aurait rampé si on lui avait brisé les deux jambes, il aurait frappé dans le vide si on lui avait crevé les yeux. Bref, il ne se serait jamais arrêté. »

À la fois impressionné et préoccupé par ce qu'il venait de voir, un homme lève la main.

– Est-ce qu'on peut en guérir ?

– Il est possible de contrôler le patient avec de la sérotonine. Le sevrage est cependant difficile, et souvent fatal. C'est le cœur qui lâche.

•

Le bruit d'une porte qui s'ouvre réveille Alx. D'abord floue, l'image se précise peu à peu. Un garçon, le dos appuyé contre le grillage, le regarde d'une étrange façon. Ses doigts tachés de sang sont entrelacés dans le treillis à la hauteur de sa tête pour empêcher sa camisole trois fois trop grande de glisser au sol. Sous ses bras se dessine la ligne de ses côtes. Son thorax n'est pas plus gros qu'un ballon de soccer. Ses yeux sont noirs et cernés. *Comment un enfant peut-il avoir les yeux cernés ?* se demande Alx qui reprend connaissance.

Un homme vêtu d'un sarrau blanc entre dans la cage. Le petit Pakistanais s'élance vers le scientifique avant d'être arrêté par sa chaîne. « Reste tranquille, je vais te donner ta dose. » Le garçon allonge le bras en souriant.

Après 48 heures en observation, Alx fut jugé « apte au travail » et enfermé dans la section jaune du deuxième entrepont, servant à « monter en température » les nouveaux venus. Les chercheurs avaient réussi, au prix d'une trentaine de cobayes, à établir la courbe du dosage optimal qui s'étale sur trois jours. Une quantité trop forte de Don du ciel provoquait l'infarctus, causant un gaspillage de produit et de ressource. Une quantité trop faible donnait parfois des cas de conscience qui enlevaient toute chance de survie au candidat.

Les 24 premières heures étaient sans danger pour les autres combattants. On devait les séparer par la suite, au risque de les voir s'entretuer. Mais avant de commencer le traitement, il fallait établir la référence, sorte de profil détaillant les capacités physiques et mentales du futur combattant, et qui sert de base au programme de dosage.

Alx, en raison de sa provenance, soulève l'intérêt des chercheurs. Les démocraties occidentales sont régies par un code moral, fondé sur l'ordre et la religion. Conditionnés depuis l'enfance par le jeu du ciel et de l'enfer, ses habitants répriment cette pulsion naturelle à se faire justice en la réduisant à de simples engueulades. Bien que l'emprise de l'Église ait beaucoup diminué, son influence demeure.

Accroupi sur son fessier, le petit Pakistanais ressent l'effet de sa treizième dose. On ne voit plus que le blanc de ses yeux, dont la moitié inférieure est couverte de sang. De sa bouche sort une épaisse salive et sa tête se balance comme un hassid devant le mur des Lamentations. On coupera son approvisionnement après la quinzième seringue. Il faudra attendre entre quatre et six heures avant qu'il ne cherche à se pendre ou à sauter sur le premier qui sera à sa portée.

Alx se rendort dès que le calme revient. La bouteille d'eau que lui avait remise le scientifique contient un somnifère assez puissant pour assommer un cheval.

•

Le souper se compose d'une chaudrée de poisson et de pâtes vite préparées, ce qui donne à Minh le temps d'arriver au ring avant le début du combat.

Après être revenu dans sa cabine, il nourrit son chat et sort son livre de recettes pour y consigner sa journée.

**MARMITE DE POISSON AU CARAMEL**

***Ingrédients***
- 7 c. à s. de sauce Nuoc Mam
- 3 c. à s. de sucre
- 3 maquereaux entiers moyens
- 1 gousse d'ail haché
- Sel
- Poivre
- Huile

***Préparation***

*Température, 18 °C. Vent faible de l'ouest. Mer calme.*

*Drôle de soirée ! Les chercheurs avaient bandé les yeux des quatre enfants avant de leur donner des bâtons de golf. Je me demande parfois ce qui leur passe par la tête ! Le rideau est tombé à la vingtième minute. Le combattant victorieux a frappé son adversaire avec une telle force que son fer est resté coincé dans son crâne. Ça m'a fait penser aux pièges en bambou que nous tendions pendant la guerre. On trouvait à l'occasion un Américain avec un pieu entre les yeux. C'était aussi dégueulasse, mais c'était le Vietnam.*

*NA15 a été transféré au clapier ce matin. Paraît qu'il va figurer au programme de demain, ce qui me surprend. Il était plutôt amoché la dernière fois que je l'ai vu. Les chercheurs ont confirmé qu'il s'agit d'un «exercice de validation» (ils ont des expressions incroyables!) pour déterminer l'importance de ses inhibitions. Ça veut dire qu'il ne sera pas drogué afin de voir s'il se défendra ou s'il se laissera massacrer. Les paris ont déjà commencé. On le donne perdant à six contre un. Son adversaire sera un rachitique de huit ans, amené à température. C'est vrai que les Nord-Américains sont faibles de la tête. Ils n'ont pas le courage de finir le travail. J'espère me tromper. J'ai déjà misé 100 dollars sur lui.*

*Au menu demain, rôti de veau et morue salée.*

•

**Il reviendra**

*Il reviendra Comme il l'a dit,*
*Il reviendra, mon Fils, Gardez confiance!*
*Il reviendra Comme il l'a dit,*
*Il reviendra, mon fils, Il l'a promis!*
*Apprends-nous, ô Marie, la confiance,*
*Apprends-nous, ô Marie, la confiance,*
*Apprends-nous, Mère du Christ*

Marie-Louise avait laissé le curé à son sermon pour feuilleter le cahier des cantiques à la recherche d'un peu de réconfort.

« Il reviendra, mon fils, relit-elle, Il l'a promis » Elle ne sait pas si Alx va revenir, il ne lui avait rien promis, mais elle doit espérer. La torture recommence chaque fois qu'un groupe de citoyens part à sa recherche. Elle prie pour qu'ils ne trouvent rien. Le jour viendra peut-être où elle souhaitera qu'on lui rapporte quelque chose, mais pas maintenant. Elle veut continuer de croire qu'il est vivant. Vivant. Le seul mot possible, le seul mot acceptable.

Elle ne s'était pas présentée à l'église depuis des années. C'est dans le désespoir que la dévotion refait surface. Le marchandage est sincère et senti. Elle promet à son Dieu de changer, de devenir une bonne catholique, de venir le prier tous les dimanches. Elle lui demande pardon, pardon pour ce qu'elle a fait et pour ce qu'elle fera.

Les ouailles, qui la regardent du coin de l'œil, murmurent. Si certains sympathisent, d'autres y voient un juste retour des choses. Assise à ses côtés, Lulu a le nez plongé dans le Nouveau Testament. S'il le pouvait, le curé mettrait à l'index tous ces livres religieux comme on le faisait avec les livres osés. Une mise à l'index s'appliquant à cette petite fille qui a le culot de douter.

« Seigneur, prends pitié de nous. » La voix du prêtre résonne sur les murs de plâtre. « Prends pitié de moi, mon Dieu », murmure Marie-Louise, ses doigts entrelacés contre son front. Elle ne l'avait jamais dit avec autant de ferveur.

•

Le capitaine avait fini par céder devant son insistance. C'était la seule requête que Minh n'ait jamais formulée. Chaque jour, son cuisinier devait (il avait utilisé le verbe *devoir*, pour bien se faire comprendre) assister à la naissance du jour et être témoin de sa mort. L'équipage avait dû se résigner à prendre ses repas en fonction du calendrier solaire.

Aujourd'hui, assis face au vent sur une caisse de bois, Minh regarde le soleil embraser la mer en méditant sur l'insignifiance de la vie. Pareil à un homme qui, jour après jour, mange seul à sa table, il laisse s'écouler le temps sans personne avec qui le partager. Il serait bien entouré si ses victimes avaient pu choisir entre la mort et sa compagnie. Certains, trop fiers, auraient choisi le trépas, mais il en resterait sûrement quelques-uns qui s'attableraient avec lui.

C'est un peu pour afficher sa différence et surtout pour faire un pied de nez à ceux qui l'ignorent qu'à 57 ans, il continue d'étonner son entourage avec sa boucle d'oreille et ses ongles peints en bleu azur. Depuis qu'il est à bord, personne ne lui adresse la parole, même lorsqu'il salue de sa casquette rouge. Vêtu de son maillot de corps d'un blanc immaculé et de son pantalon noir bien pressé que retient une corde de nylon jaune serin, il marche sans exister en suivant la rambarde, comme un chien au pied de son maître.

Et c'est peut-être mieux ainsi. On n'hésiterait pas à l'enfermer ou à le jeter par-dessus bord, si on connaissait son passé et la véritable raison de sa présence.

Issue d'une famille longtemps vénérée et d'un père inconnu, sa mère, craignant pour sa vie, l'avait donné à des étrangers en échange de leur silence et de la promesse de ne jamais retirer le porte-bonheur, qu'il portait à sa cheville.

En grandissant, il devint évident que Minh était né femme dans un corps d'homme. Alors qu'il venait d'avoir 15 ans, son beau-père fit une croix sur l'espoir d'en faire un pêcheur et l'enrôla de force, convaincu que l'armée trouverait bien un moyen de le tuer.

À la surprise de tous, y compris du concerné, on découvrit qu'il avait un talent inné pour pister l'ennemi et lui mettre une balle dans la tête avant qu'il ne réalise avoir été piégé. Minh adorait ce jeu de cache-cache où, contre ses habiletés, il pariait sa vie.

Un caporal loin de la ligne de front consignait la liste de ses victimes dans un livre, comme on le ferait avec du gibier. Minh en avait 127, un record qui tenait toujours. Il aurait pu en avoir davantage s'il avait suivi les ordres au lieu d'épargner les enfants et les vieillards.

Comme la plupart des soldats de l'après-guerre, il se retrouva dans la rue et sans le sou. On finit par mettre sa tête à prix, le considérant comme un dangereux tueur qui en savait trop.

Par un heureux hasard, une cuisinière qui cherchait de l'aide eut pitié de ce beau garçon en décrépitude, et lui fit découvrir sa véritable passion : la gastronomie. Tout le monde l'appelait Délectable, en l'honneur de son talent culinaire et de sa grande bonté. Minh finit par devenir le fils que le ciel lui avait refusé. Il commença en travaillant à la cantine le jour et en expérimentant le soir avec des ingrédients et des épices achetés au marché local. Des recettes de son cru apparurent sur le menu. Le bouche-à-oreille fit augmenter l'achalandage. Tous les matins, une file se formait une demi-heure avant l'ouverture. Ils planifiaient ouvrir une demi-douzaine de cuisines ambulantes qu'ils placeraient aux abords de la ville, lorsqu'un jour, un homme qui attendait son tour le reconnut. « Mais c'est Monsieur 127 ! Ça par exemple ! » Personne ne l'appelait par ce nom, sauf les soldats de son bataillon. Prétextant devoir sortir les ordures, il s'enfuit jusqu'au port, mais fut vite rattrapé par les services secrets qui l'avaient à l'œil depuis un moment. Il dut choisir entre la prison et le Médusa où, lui dit-on, il pourrait de nouveau servir son pays. C'est ainsi qu'il se retrouva à la fois cuisinier, rapporteur et, au besoin, tueur. Il reprendra contact avec Délectable quelques années plus tard.

•

Alx reprend connaissance au milieu de la nuit. Ses doigts touchent une surface froide qui tremblote sous l'impulsion du navire et sur laquelle on l'a étendu. Mémoire et logique cherchent une explication, mais rien ne colle ; le film de sa vie s'est arrêté quelque part à l'Anse-aux-Bernaches. Ses yeux font le tour de sa cage, puis se rivent au plafond vert, éclairé par une ampoule jaunâtre. *Ça ne ressemble pas à un hôpital, à moins d'être en fond de cale,* se dit Alx, sans savoir. Ce n'est pas une chambre froide. Il n'est donc pas mort.

La lumière finit par se faire dans sa tête : c'est une prison ! On l'a foutu en prison pour une gaffe monumentale dont il ne se souvient ni du début ni de la fin. Il savait qu'un jour quelque chose d'irréparable se produirait. On l'avait averti cent fois. « T'es pas assez peureux ! » lui disait sa mère, et c'était vrai. Il cédait facilement aux provocations.

Sa dernière bravade avait été avec David Inniss, qui aimait faire peur avec ses puissantes voitures.

« As-tu déjà fait un tour dans un vrai char ? » avait-il demandé à Alx, qui faisait de l'auto-stop le long de la route maritime. Il interpréta son silence comme une sorte d'indifférence qu'il entendait corriger. « Attache ta tuque, mon p'tit homme. » La Camaro SS rugit en laissant derrière elle deux traces noires sur le bitume. L'aiguille du tachymètre survola les graduations pour s'écraser contre la limite du possible. David sourit en voyant Alx du coin de l'œil, qui s'enfonçait dans le siège sous la force de l'accélération. Les 160 kilomètres à l'heure furent atteints en huit secondes et des poussières. Chromé commença à décélérer quand soudainement, Alx traversa sa jambe par-dessus le levier de vitesses et écrasa son soulier. La voiture reprit du galon. « Qu'est-ce que tu fais ! cria David. Ôte ton pied, maudit fou ! Ôte ton crisse de pied ! » Il avait un bon appui. L'accélérateur resta collé à la moquette, tandis que s'approchait une courbe à angle droit et derrière elle, un cap de pierre coupé à la dynamite. Les deux mains de David serraient le volant comme la corde d'un grimpeur suspendu dans le vide. « Tu vas nous tuer, crisse de fou ! Tu vas nous tuer ! »

*C'est toi qui cherchais à nous tuer, gros cave ! Je fais simplement t'aider,* aurait voulu dire Alx qui leva le pied à moins de 300 mètres de la courbe. Chromé sauta à pieds joints sur le frein. La voiture dérapa sur sa droite. Il la ramena un peu trop vite, risquant de faire un tonneau. Deux roues quittèrent le pavé avant de retomber en crissant. Accroché à l'appui-bras, Alx gardait les yeux sur le nez du capot qui passait d'un terre-plein à l'autre.

La Camaro finit par s'arrêter à quelques mètres du cap. David sortit de sa voiture comme si elle était en feu. Après avoir repris son souffle et épongé son front du revers de sa manche, il récupéra une serviette dans son coffre arrière, puis la plia avant de l'étendre sur son siège en priant pour que l'urine n'ait pas traversé son pantalon. Alx attendait que son conducteur reprenne place, mais il lui signifia en termes clairs et sans équivoque que sa route en compagnie de Monsieur Camaro venait de prendre fin, ici et maintenant. « Sors de mon char, crisse de malade ! »

Alx était maintenant dans une cage. Chromé avait trouvé des amis pour l'enlever et le venger. Il cherche à paniquer, mais n'en a pas la force. Tourner la tête relève de l'exploit.

Un homme venu s'informer chuchote à un autre assis devant le grillage.

– Tu crois qu'il pourra se défendre ?

– J'en doute.

•

Les bancs ne sont remplis qu'à moitié. Seuls les parieurs invétérés comme Minh prennent la peine d'assister aux qualifications. Les autres considèrent qu'il ne s'agit pas d'un vrai combat et préfèrent rester sur le pont à jouer aux cartes. Les 12 scientifiques sont présents, ce qui est inhabituel. Tous veulent voir comment se comportera NA15 devant le petit Pakistanais déjà installé dans le ring.

Un étourdissement suivi de nausées s'empare d'Alx dès qu'on le met sur ses pieds.

Un homme lui frotte le dos pour stimuler ses muscles, tandis qu'un autre le tient par le bras. « Il n'est pas prêt », dit l'homme. « Faudra, répond l'autre, avant de lui prendre la tête entre ses deux mains et de trouver ses yeux. J'espère que tu m'entends. On va t'emmener dans une cage où il y a un garçon qui va essayer de te tuer. Il est tout petit, mais méfie-toi, il va tout faire pour te réduire en bouillie. Il y a un gourdin dans la malle. Assure-toi d'être le premier à mettre la main dessus. Frappe-le aussi fort que tu le peux. N'hésite pas une seconde et n'arrête pas tant qu'il respire, parce que lui, il ne s'arrêtera pas. Dis-toi que ce gamin n'est plus un enfant, c'est une machine à tuer. »

Alx ne comprend que les trois derniers mots. « Machine à tuer. » Il laisse derrière un filet de bave et de vomissure, tandis qu'on l'aide à descendre le corridor menant au ring.

Le petit Pakistanais porte le dossard numéro un. On a dû bander ses mains après qu'il les ait mordues jusqu'au sang. La sensation d'être enterré vivant que procure le sevrage du Don du ciel bat son plein. Une forme de râlement étouffé a remplacé ce qui aurait été, avant l'intervention chirurgicale, un hurlement. On les rendait muets afin de réduire le risque de se faire prendre lorsque le bâtiment était ancré à un port, et d'éviter que l'équipage cède à la panique en entendant les cris. L'opération ne durait que quelques minutes, le temps de faire une incision et de couper les nerfs laryngés.

Le garçon est prêt à tout pour empêcher le cercueil de se fermer. C'est alors que la porte de la cage s'ouvre et qu'on fait entrer Alx. Le chercheur qui l'accompagne lui enfile le dossard numéro deux, pendant qu'un autre s'apprête à libérer le petit Pakistanais qui retrouve son calme. La solution à son problème était devant lui.

•

### Sauce à base de poisson Nuoc cham

***Ingrédients***

- 2 gousses d'ail
- 2 piments oiseau
- 1/2 tasse de jus de citron vert
- 1 c. à s. de sucre en poudre
- 1 c. à s. de vinaigre de riz
- 4 c. à s. d'eau chaude
- 4 c. à s. de nuoc-mâm
- 1 petite carotte coupée en julienne

***Préparation***

*Température, 22 °C. Vent pratiquement nul. Mer calme.*

*J'ai bien failli perdre mes 200 dollars. À un moment donné, je croyais vraiment que NA15 allait y passer. Il a finalement pris le dessus sur le gamin. C'était une question de poids. On a beau vouloir, quand on pèse à peine 35 kilos... N'empêche que NA15 n'a pas voulu l'achever, même après lui avoir enlevé son gourdin. Il a fallu donner un couteau au Paki pour qu'il se décide enfin à le matraquer. Il s'est quand même arrêté avant de le tuer. C'est inquiétant.*

*Le scientifique en chef nous a dit qu'il lui administrerait sa première dose de Don du ciel demain, même si, de toute évidence, il n'est pas en mesure de se battre et présente des inhibitions. Ces gens se foutent de qui gagne et qui perd. Ils les mettent dans une cage et les laissent s'entretuer. Ensuite, ils mesurent, ajustent leur merde et recommencent avec de la viande fraîche. Ils consomment plus de gamins que je consomme de beurre ! Je ne suis peut-être pas bien placé pour parler, mais moi, j'avais l'excuse de la guerre.*

*Le scientifique en chef croit que les inhibitions de NA15 disparaîtront, une fois qu'il sera bien dopé. Avec son gabarit, ça va prendre au moins trois jours pour le monter en température. Il est déjà amaigri et ça ne fera qu'empirer. Le besoin de se nourrir s'estompe avec le Don du ciel, c'est pourquoi les chercheurs les gavent.*

*NA15 est inscrit au programme de samedi soir. Ce sera un combat à quatre. Faut être con pour le choisir. C'est pourtant ce que je vais faire.*

*Au menu demain, pérogies fourrées aux épinards.*

•

T-Rex cogne à la porte de la cuisine, alors que Minh est à laver son plancher. Le capitaine veut le voir sur-le-champ. Être sommé à la passerelle, c'est comme être convoqué au bureau du directeur d'école. Même si on n'a rien fait de mal, on se sent coupable de quelque chose.

Parteka n'aimait pas les Asiatiques dont il confondait systématiquement l'origine. À ses yeux, ils étaient tous des Chinois, des Jaunes sortant de la même matrice.

– Les patrons s'intéressent au garçon que tu as repêché sur la glace. Paraît qu'il n'a pratiquement pas mangé depuis son arrivée. Je veux que tu t'en occupes personnellement.

Minh hésite.

– C'est que... ils vont bientôt lui donner sa première dose. Ça va le rendre incontrôlable.

– Tu n'as qu'à faire installer la « chaise électrique » dans ta cuisine. Concocte-lui une de tes chinoiseries. Faut le remettre en forme. On aura des invités samedi, et il doit être à la hauteur.

– C'est que...

– C'est que ? Parteka attend la réplique.

– Ce sera fait, capitaine.

– C'est ce que j'avais compris. Autre chose, nous accosterons le Phào samedi après-midi. Prépare un souper qui nous fera honneur.

Minh ne peut retenir un sourire.

– Le capitaine sera content.

Le médecin de bord est à recoudre l'arcade sourcilière d'Alx, lorsque Minh se présente à l'infirmerie.

– Je dois emmener NA15 à ma cuisine pour en prendre soin.

– Le scientifique en chef est-il au courant ? demande le docteur, étonné.

– Je ne sais pas, et ça ne m'intéresse pas de le savoir.

– Est-ce que la chaise de rétention a été installée ?

– Pas encore.

– Alors, il retournera dans sa cage. Nous sommes responsables de la sécurité du personnel de bord. Pas de chaise de rétention installée et inspectée, pas de NA15.

Minh quitte les lieux sans ajouter un mot. Le crétin avait quand même raison. Le risque était trop grand.

La chaise de rétention, surnommée la chaise électrique par l'équipage, en raison de sa macabre ressemblance, était une lourde construction faite de tubulures d'acier avec de larges appuis-bras et un repose-pieds, munis de courroies de cuir. On avait soudé une plaque trouée au pied de chaque patte afin de pouvoir la fixer au plancher. Cet ajout avait été nécessaire après qu'un dopé en pleine crise se brisa le cou en la faisant tomber violemment, face contre terre.

Il passait cinq heures lorsqu'on finit de l'installer dans la cuisine. Minh avait dû faire déplacer un comptoir et relocaliser ses chaudrons.

•

La première dose provoque une sensation de brûlure à l'épaule. Alx se souvient d'avoir fait un mauvais rêve, mais rien de plus, sauf un vide laissé derrière, comme un arrière-goût désagréable.

Il bascule à la cinquième injection. Minh resserre les courroies autour des bras d'Alx, puis essuie l'écume à la commissure de sa bouche, avant d'appliquer une compresse sur son front en nage et de feuilleter son livre d'infusions. Il risque sa tête si le garçon meurt. Et c'est sans compter son pognon.

# IV

*Ce policier de la Sûreté du Québec ne fait pas 30 ans,* se dit Marie-Louise en le regardant tourner son képi entre ses mains, comme un enfant forcé d'avouer un méfait.

Après s'être assis au salon, il se racle la gorge et fait une pause en espérant choisir les bons mots.

– Nous allons rapatrier les troupes et changer notre approche.

Marie-Louise n'est pas dupe.

– Vous... vous abandonnez les recherches ?

Il s'était préparé. Après huit jours de ratissage infructueux, le temps était venu de « recadrer » les espoirs.

– Nous n'abandonnons pas, Madame Stanlie, nous changeons simplement de tactique. En fait, on va élargir le rayon d'action.

– Et comment ?

– Nous allons inscrire votre fils au Programme national pour les personnes disparues et les restes non identifiés.

En clair, les autorités laissent tomber et envoient Alx aux crimes non résolus. Le sentiment d'abandon est complet. Il ne reste rien ni personne vers qui se tourner. Le sol se dérobe à nouveau sous les pieds de Marie-Louise. Il s'était déjà dérobé lorsque le policier lui avait remis la casquette de son garçon. Depuis, le dernier indice tangible de l'existence de son fils venait la visiter chaque nuit, immobile, attendant son retour pour enfin reprendre vie. La casquette lui apparaissait parfois sur la commode de sa chambre, parfois sur le gazon dans la cour arrière, parfois même au milieu de la rue. Est-ce que d'Alx, il ne reste déjà plus qu'une casquette, qu'un morceau de tissu ? Non ! Jamais ! On n'abandonne jamais son enfant... On apprend seulement à se mentir.

•

T-Rex n'est pas autorisé à assister aux spectacles de fin de journée. Ce genre de chose l'excite au point de le rendre dangereux. Il avait entendu parler du combattant nord-américain. C'était le seul à bord. Une conversation de couloir venait de lui apprendre comment l'adolescent s'était retrouvé sur le Médusa. Les chances qu'il s'agisse du garçon rencontré sur la plage restent minces, mais vaut mieux en avoir le cœur net.

Minh reconnaît celui qui cogne à sa porte, dès le premier coup. T-Rex frappe pour détruire. Il glisse son couteau de boucherie sous la corde de son pantalon et s'approche de la poignée qui tourne.

– Où est-il ?

La réponse se trouve à sa gauche. T-Rex fige en apercevant Alx, les yeux fermés, attaché à la chaise de rétention. Minh est à un pas du géant qui se met à grogner comme un chien d'attaque. Sa main descend lentement le long de sa jambe.

Les doigts de T-Rex commencent à bouger. Au premier pas, Minh sort son couteau. Au deuxième, la lame se pose sous la gorge du Polonais qui s'arrête, le pied suspendu dans les airs.

– Je ne sais pas où tu t'en vas, mais je te conseille de faire très attention, si tu ne veux pas finir en repas du soir.

Cette menace est une réelle possibilité, et T-Rex le sait bien. « Ne sous-estimez pas le Jaune, avait averti le capitaine, il a du culot. » Et pour appuyer ses dires, il leur avait dévoilé des statistiques inquiétantes, puisées dans son dossier militaire.

« Si la moitié seulement de ce que j'ai lu est vrai, alors vaut mieux le mettre en cage avec les autres », se disait le capitaine. C'était surtout les allégations de cannibalisme qui le préoccupait.

T-Rex cherche à monter le bras. La lame se presse contre sa pomme d'Adam.

– Tu veux mourir ? Tu veux vraiment mourir ? demande Minh, prêt à lui trancher la tête.

Il savait comment faire. C'était une invitation, plus qu'une menace.

T-Rex fait un pas en arrière, puis un autre, jusqu'à la porte. Minh desserre sa prise.

– Bonne journée, Monsieur Igor.

Avant de partir, T-Rex lui promet une mort digne de ses capacités. Minh répond par un sourire. La file de ceux qui voulaient le désosser était longue, en commençant par la famille de tous les fantômes accrochés à ses baskets.

•

Les planètes qu'occupent le capitaine Parteka et son cuisinier sont à des années-lumière l'une de l'autre et pourtant, elles s'entrecoupent en un endroit. En plus d'un fin palais, Lech a des manières et une exigence quasi protocolaires autour de la table.

Tous les samedis au coup de sept heures, il se présente aux portes de la salle à manger comme un acteur entrant en scène. Vêtu d'un smoking dont la coupe varie selon l'inspiration du jour, chaussé élégamment et ganté de blanc, il marche avec une canne au pommeau d'ivoire ciselé. À moins d'être indisposé, le scientifique en chef, un Allemand qui apprécie ce genre de chose, l'accompagne. Serviette au bras, Minh les attend au pas de la porte, sans bouger un muscle.

La suite relève du théâtre. Déguisé en aristocrate, le capitaine traite son cuisinier avec diligence, tandis qu'il discourt avec son invité sur les grands enjeux du monde.

Lorsque les convives sont prêts à partir, ils glissent un généreux pourboire dans la main de Minh, qui plane de bonheur.

Il passe les heures suivantes à nettoyer et à transformer les restes qui agrémenteront l'équipage. De la musique classique l'accompagne, tandis qu'il étire encore un peu la sauce jusqu'au coup de minuit, où le carrosse se change à nouveau en citrouille.

•

Marie-Louise retourne au salon après s'être versé un verre de *Southern Comfort* sur un lit de glace. « Faut se méfier de cette brunette à 35 % d'alcool », disait son mari qui tombait régulièrement sous son charme. La veille, elle s'était arrêtée à la page 24 du Grand Registre, incapable de continuer. Si la brunette ne réussit pas à l'engourdir, il faudra en trouver une autre, plus enivrante. Peut-être qu'une page tournée au hasard donnera quelque chose de moins dévastateur. *En tout cas,* se dit Marie-Louise en ouvrant le cahier, *ça ne peut pas être pire.*

*14 juillet 1975*

*Aujourd'hui, il n'y a pas un nuage, pas la moindre déchirure dans le ciel, et ça m'attriste. Quand il fait beau, il ne reste plus rien à espérer. Moi, c'est lorsqu'il pleut que je rêve. Mais ça ne change rien. Beau temps, mauvais temps, rien ne change.*

*Ce matin, le prof d'histoire nous a montré à quel point une vie ne pèse pas lourd. Il a parlé des castrats, à l'époque de la Renaissance. On coupait les couilles des gamins doués pour le chant afin qu'ils gardent leur voix enfantine. C'est bien la seule fois où j'aurais été épargné !*

*Monsieur Mathieu nous a dit qu'une famille pouvait soumettre une lettre d'autorisation au nom de leur fils en échange d'une somme d'argent. On le droguait à l'opium pour l'endormir, ensuite on coupait le cordon avant de le plonger dans un bain très chaud pour réduire ses* gosses *à de simples petits pois. Paraît qu'il y en a qui sont devenus fous. Et dire qu'on mutilait ces enfants pour divertir les papes !*

*Aujourd'hui, les couilles sont dans la tête et on les coupe à ceux qui sont différents. Ils ont voulu couper celles de papa, mais ils n'ont pas réussi à entrer dans sa tête. Ça les a fâchés et pour se venger, ils ne sont pas venus à son enterrement. Pas même ses frères. Dans son sermon, le curé a raconté une gentille histoire à son sujet. Plus tard, maman nous a dit qu'il l'avait inventé pour se donner bonne conscience. Il ne nous aime pas. Lulu sait peut-être pourquoi. Elle lui parle souvent.*

•

Lucie se rend au cimetière chaque fois que son moral est au plus bas. Le saint lieu offre des avantages insoupçonnés, dont la tranquillité d'esprit, en raison de la faible fréquentation et du chant des oiseaux, qui y ont libre cours. Mais c'est la lecture des épitaphes qui lui fait le plus grand bien. Les noms qu'on y trouve sont si farfelus qu'on a peine à y croire. Autant foutre toutes les voyelles et toutes les consonnes dans un sac et en sortir une demi-douzaine au hasard pour le prochain baptisé. Insipides comme le gruau, les « Jean », « Louise » et « Pierre » peuvent aller se rhabiller !

Craignant de les offenser, elle s'excuse après chaque éclat de rire. « Pardon, Exina. Je m'excuse, Abdon. Je ne ris pas de vous, Radejonde, Domine, Néomise. Non, j'me fous pas de votre gueule, j'vous le jure, Messieurs Arcade et Théodule. » Sans autres indices, il est même parfois difficile, sinon impossible de déterminer le sexe du défunt. « Bonjour, Monsieur ou Madame Veus, il fait beau aujourd'hui, vous trouvez pas ? »

Son préféré se trouve à l'extrémité nord-est du cimetière. La stèle était si vieille et en si mauvais état qu'elle avait dû remplir les petites rainures de boue pour faire apparaître le nom. Elle en était tombée amoureuse sur le coup. Cyriac. C'était le plus beau de tous, c'était chevaleresque, c'était preux. Il devait être grand, très beau, et brave comme un mousquetaire. Elle s'était mise à sarcler les alentours et à nettoyer sa pierre afin de lui rendre ses lettres de noblesse.

Mais aujourd'hui, personne ne l'a fait rire. Même Cyriac, habituellement bavard, n'a pas soufflé mot. À l'école, quelqu'un lui avait dit qu'on avait commencé à creuser un trou pour y enterrer son frère. Elle ne l'avait pas trouvé, mais ce n'était qu'une question de temps.

•

Alx entend des battements d'ailes suivis de couacs. En ouvrant les yeux, il aperçoit un couperet qui descend sur le cou d'un malard. La tête se sépare et les yeux se mettent à cligner comme sous l'effet d'une surprise. Le couteau redescend sur les pattes orange qui tombent par terre. Minh les ramasse et en profite pour monter le son de sa mini-chaîne stéréo. La musique lancinante d'une cithare s'élève, produisant une atmosphère de paix dont il a besoin pour réussir son canard aux cinq parfums.

Alx voit devant lui un homme vêtu d'un pantalon noir avec un large tablier blanc, et coiffé d'une toque en papier cannelé qu'il replace constamment. Ses yeux se promènent entre la cuisinière à gaz, où fument trois chaudrons, et sa table de cuisine. Autour de lui, des casseroles accrochées au mur dodinent comme des pendules. À chaque creux de vague, une louche donne le ton en frappant le côté d'une armoire.

Après avoir entaillé le canard, Minh y plonge sa main et en extirpe les viscères. La respiration d'Alx s'accélère au point de l'étouffer, comme si l'air ne parvenait pas à entrer assez vite dans ses poumons. Ses bras et ses jambes sont paralysés, son regard reste fixé sur la tête du canard qui a cessé de battre des yeux. Il est le prochain sur la table à dépecer. Des images folles se mettent à défiler. Sera-t-il conscient lorsqu'il lui ouvrira le thorax et percera la membrane séreuse pour sortir ses entrailles ? Sentira-t-il la lame lui trancher la gorge ? Le sang, s'échapper de ses artères ? Son cœur, frapper dans le vide avant de s'arrêter ? Le fera-t-il sciemment souffrir ou aura-t-il la décence de le tuer d'une frappe ?

Alx commence à tourner de l'œil lorsque Minh le remarque enfin. Il essuie ses mains et s'approche avec un verre d'eau.

– Tu as soif ?

Alx ne répond pas. Minh comprend en apercevant sur sa gorge ce qu'il croit être la trace du scalpel qui l'a rendu muet.

– Faut boire. Attends, je vais t'aider.

Il ouvre la bouche sans comprendre, puis recrache la première gorgée. Minh s'essuie le visage.

– Je vais y aller plus lentement.

Il réussit à boire le verre au compte-gouttes.

– Ça va mieux ?

Alx fait un signe de la tête.

– Je vais t'en donner un autre dans une demi-heure. C'est important de boire. Tu dois être en forme pour... Minh s'arrête et retourne à ses plats. *Ce serait bête de l'angoisser inutilement.*

Une écritoire à pince à côté de la chaise liste les injections reçues. La onzième aura lieu ce soir à 10 h 30. Il en restera quatre autres avant d'en faire un tueur. Les chercheurs ont déjà fait leur pari, non pas sur l'issue du combat, mais sur la qualité du combattant. Certains pensent qu'avec ses bonnes manières et ses tabous, l'éducation occidentale empêche la propension naturelle de l'homme à se battre, tandis que d'autres sont plutôt d'avis que le Don du ciel lèvera les interdits et convertira les frustrations réprimées en énergie destructrice.

Ceux qui croient créer un monstre ne seront pas déçus.

•

Le samedi à l'aube, Lech ordonne de réduire la vitesse à huit nœuds. Aborder un sous-marin n'est jamais une manœuvre facile.

Battant pavillon nord-coréen, le Phào est une relique soviétique dont on a émasculé la salle des torpilles pour y aménager des cages et des cercueils réfrigérés, et qui sert de navire de ravitaillement, troquant des cadavres congelés contre des enfants de la rue.

Il est 9 h 30 lorsque le Médusa prend contact avec le submersible et s'y arrime dans une mer capricieuse. L'échange de marchandise doit être effectué rapidement pour éviter les collisions. Aussitôt la glissoire amarrée, on fait descendre les 17 corps qui seront autopsiés par une équipe au sol. Maintenus endormis par un sédatif, les enfants sont sortis de leur cellule puis emmaillotés dans des filets à pêche avant d'être chargés à l'épaule et montés sur le navire. Un enfant qui tombe à l'eau est un enfant qui meurt sans s'en rendre compte. Un enfant qui tombe est un enfant auquel Dieu a accordé sa miséricorde.

Le commandant Giuong Van Phan demande à Lech la permission de monter à bord. Les deux hommes, qui se connaissent depuis longtemps, entretiennent une relation d'affaires florissante.

Parteka salue du képi, puis serre chaleureusement la main de son visiteur. Ils se rencontrent en mer pour la 17e fois, établissant une nouvelle marque depuis la mise à contribution des forces navales de Pyongyang.

Le capitaine retourne à sa cabine avec son invité et donne l'ordre de ne pas être dérangé.

Un whisky Glenlivet 1962 les attend. Lech en remplit deux verres de cristal.

– Tu me surprends chaque fois, le Jaune. J'aurais parié qu'après toutes ces traversées, ton tuyau d'égout aurait pris l'eau.

– Le capitaine Parteka aurait encore perdu.

Ils lèvent leurs verres.

– Santé, le Chinois.

Giuong lui répond dans une langue que l'autre ne comprend pas, puis fait cul sec. « Bizness ! Bizness ! » ajoute Lech en allant chercher une liasse de dollars américains qu'il dépose sur la table.

Le commandant allonge le sac d'héroïne à côté de l'argent, tandis que son hôte s'occupe des verres. Ils se saluent de nouveau, puis font disparaître le whisky. Une fois l'affaire conclue, le meuble est débarrassé de son butin pour faire place à un apéritif, un seul, histoire de ne pas gâcher le festin qui les attend.

•

La table est montée à la française et les couverts, disposés suivant l'ordre d'utilisation. Les couteaux à droite, les fourchettes à gauche, et au-dessus de l'assiette de présentation, les pinces et les ustensiles à escargots, à huîtres et à crustacés. Les verres et les coupes sont placés en demi-cercle.

Minh ouvre la porte dès qu'arrivent ses invités. Le capitaine porte une veste croisée marine, piquée de larges boutons ouvragés, représentant une ancre sur laquelle une corde torsadée traverse l'organeau. Une ceinture se ferme sur une boucle portant la même effigie. Quatre bandes jaunes cousues sur les manches indiquent le rang qu'il aurait voulu avoir.

Giuong suit derrière. Il ressemble à un croisement entre Karl Dönitz, le grand amiral de la Kriegsmarine nazie, et napoléon Bonaparte. Ses galons sont si nombreux et si près les uns des autres qu'il aurait été plus facile de coudre une seule pièce sur le tiers de sa manche. Et pour s'assurer la suprématie des guirlandes, il avait fait ajouter des épaulettes à quatre étoiles à son costume.

Grand nostalgique de *Casablanca,* le scientifique en chef ferme la marche, déguisé en Rick Blaine.

Minh commence le service aussitôt les invités attablés. Après avoir versé une coupe de Château Trotanoy, il sert une soupe aux nids d'hirondelle dans des bols en porcelaine peints à la main.

– Paraît que vous avez recruté un Occidental, dit Giuong qui cherche à en apprendre un peu plus.

– Les nouvelles circulent vite, réplique Lech en souriant sur cette façon toute nord-coréenne de récrire le dictionnaire. Recruter : Engagement, volontaire ou non. Mourir : Accident de parcours ou refus de s'engager.

– Ce genre de nouvelle circule toujours très vite, ajoute Giuong. J'ai eu l'ordre de l'amener à terre. Vivant, bien entendu.

Le scientifique en chef n'aime pas qu'on se mêle de ses affaires.

– Je n'en ai pas été avisé. Chaque expérience est essentielle à l'avancement du projet. NA15 est notre seule ressource en provenance du continent nord-américain. Nous en avons besoin.

Il avait déshumanisé son travail depuis longtemps. NA15 n'était qu'un identifiant sur une pièce. Sauf le fait qu'il respire, ce pourrait aussi bien être une courroie de transmission ou un tapis caoutchouté. Dans son esprit, les enfants à bord étaient des organismes conçus pour la science. L'utérus avait remplacé la boîte de Petri.

Giuong ne lui fait pas l'honneur d'une réponse.

– Il fait partie du programme de la soirée, précise Lech. Nous aurons un combat intéressant.

Le commandant grimace.

– Je n'ai pas encore vu quelqu'un sortir de cette cage sur ses deux pieds.

Le capitaine lève la main en direction du scientifique en chef qui veut placer un mot.

– On l'a transféré ce matin dans le conteneur vert. T'en fais pas, nous en prendrons soin.

Il leur arrivait parfois de restreindre un ou plusieurs combattants en leur attachant une corde à la cheville. L'autre extrémité était reliée à un treuil assez puissant pour arracher une jambe.

La conversation s'arrête et les palais s'excitent à la vue des plats qui apparaissent dans une harmonie de couleurs, de formes, d'arômes et de textures. Un sourire de satisfaction se dessine lorsqu'explosent en bouche des saveurs exacerbées par la complémentarité des corps chauds et froids, et par les inclinaisons tantôt sucrées, tantôt acidulées. Le plaisir, tant pour les yeux que pour les papilles, est complet.

Une heure plus tard, les invités, repus, se retirent au fumoir.

Après avoir tiré un bon coup sur son Cohiba, le scientifique en chef fait part aux autres de ses préoccupations.

– Sur le dernier groupe de 20, trois sont décédés d'un infarctus durant la montée en température, ce qui est dans la moyenne, et 12 sont morts au combat. Deux sont encore vivants, mais hors d'usage et prennent inutilement de l'espace. Faudra les donner à l'équipe au sol ou s'en débarrasser. Les trois derniers seront employés ce soir. Après avoir expiré une longue plume de fumée, il en vient au cœur du problème. Quatre ont tenu moins de cinq minutes. Cinq minutes ! Tout ce travail pour moins de cinq minutes !

– Faudra les punir, lâche Giuong en calant le reste de son bourbon.

Il était l'heure de se rendre au ring.

•

Le Don du ciel n'obéit à aucune règle, à aucun sens moral. Il n'y a pas d'autorité, pas de limites, il n'y a que la sensation paradisiaque que procure une surdose de dopamine et l'insupportable vide qui suit.

Alx est déjà aux portes du bonheur.

« Embrasse-moi, répète la jeune fille de l'école à son oreille, embrasse-moi. » Elle prend son visage entre ses mains. « Tu es magnifique, embrasse-moi. » Ses yeux turquoise traversent les siens et jettent une lumière qui plonge au fond de lui. Le faisceau transperce les murs jusqu'à un cachot qu'il illumine. À l'intérieur, un enfant en haillon, muselé et effrayé, lève le bras pour se protéger, craignant qu'on soit revenu le battre. Alx n'a pas besoin de voir son visage pour savoir de qui il s'agit. Il a toujours senti sa présence, il est son propre geôlier.

Cette constatation le fait fondre en larmes. La jeune fille lui prend la main. Elle se trouve à la fois à l'intérieur et à l'extérieur de lui. « Nous allons le libérer, Alx, nous allons le rendre heureux. Nous allons tous être heureux. Embrasse-moi et nous serons enfin complets. »

Alx hésite. Il sait que l'embrasser changera sa vie. Mais être heureux, être complet, n'est-ce pas ce qu'il a toujours voulu ? Pourquoi, alors, cette hésitation ? Peut-être parce qu'il n'y croyait plus.

« Alx, embrasse-moi. » Il ferme les yeux et s'approche. Le contact est glacial. Un éclat de rire suit. « Ta mère est une pute ! dit une voix, ta mère est une pute ! »

Personne n'ose entrer dans le conteneur vert. Les mains d'Alx saignent abondamment et il a commencé à frapper sa tête contre le grillage. Quelqu'un réussit à glisser une corde et à le faire trébucher. Les trois hommes qui attendent avec des bâtons électriques près de l'entrée lui sautent dessus.

*Il est trop tard pour lui injecter un tranquillisant,* se dit le médecin de faction en regardant sa montre. Quelqu'un viendra le chercher dans une dizaine de minutes.

« Tenez-le bien, on va nettoyer ses mains et lui mettre un dossard. »

•

Des lampes d'appoint sont ajoutées le soir des combats pour les caméras postées aux quatre coins de la cage. Un passage libre de chaises permet l'arrivée des combattants, comme on le ferait lors d'un gala de boxe.

Installés autour du ring, les membres d'équipage et les chercheurs regardent les combattants en spéculant sur celui qui l'emportera. Minh s'assoit dans la première rangée. Il choisit une nouvelle place chaque fois qu'il perd un pari.

Tout le monde se lève lorsque le capitaine et ses invités se présentent. Au signal, quatre hommes encadrant Alx descendent le couloir.

On avait gardé trois enfants chinois en espérant qu'ils feraient équipe et combineraient leur force.

Le plus grand est attaché dans un coin du ring. Un chercheur lui injecte une dose d'adrénaline qui le poussera au bord de l'insoutenable. Les deux autres suivent. Impossible de savoir s'ils rient ou pleurent. Un marin qui veut changer sa mise, cherche désespérément le *bookie*.

C'est maintenant au tour d'Alx. Les muscles de ses jambes sont si tendus qu'ils affectent sa démarche. Ses yeux sont à peine ouverts et ses mains sont déjà en poing. Au grand plaisir des chercheurs, les trois Chinois se regardent comme s'ils se concertaient.

La dose massive d'adrénaline qu'il reçoit s'ajoute à celle circulant déjà dans ses veines. Ses vaisseaux se contractent, son cœur s'accélère et ses muscles se gonflent.

Les fauves sont lâchés aussitôt la porte refermée. Le plus costaud des trois a trouvé le gourdin et s'approche. Les deux autres sont déjà occupés à se taper dessus.

Alx se tourne vers la gauche pour lui faire face. Il écarte les bras à largeur d'épaules et se penche vers l'avant. Ses yeux ne voient pas une cage, mais une cour d'école. Les filles cachées derrière le conteneur à ordures sont à vue et à portée. « Ta mère est une pute ! » répète sa muse qui tient un gourdin, tandis que les deux autres se tirent les cheveux. « Ta mère est une pute, et toi tu es le fruit d'une pute. Tu es un déchet sans voix. Tu vas mourir, et c'est tant mieux. »

*Approche. On va voir qui est le fruit d'une pute,* se dit Alx en remarquant la corde attachée à sa cheville.

•

### Bouillon d'os de porc et de pommes de terre (Gamjatang)

***Ingrédients***

- 750 g d'os de porc
- 1,3 l d'eau
- 1 oignon en quartiers

- 2 gousses d'ail écrasées
- 2 tiges de ciboule
- 1 morceau de gingembre de 5 cm en rondelles
- 10 grains de poivre noir

***Préparation***

*Température, 26 °C. Vent chaud du sud-ouest. Mer calme.*

*J'ai accompagné NA15 à l'infirmerie où il a passé la nuit. Le médecin a dû le recoudre à plusieurs endroits. Il a une morsure à la jambe infligée par le plus petit. Ça va lui faire une cicatrice en demi-lune. Il ne vivra pas assez longtemps pour devoir l'expliquer.*

*NA15 a montré de quoi il est capable. C'était comme dans un film où le héros est imperturbable. Il ne semblait pas avoir peur. Le Chinois n'a jamais eu la chance de se servir de son gourdin. NA15 l'a pendu haut et court avec sa corde. Ça s'est passé tellement vite que je n'ai pas vu comment il a fait. En moins de deux, le Chinois était épinglé au grillage, comme une feuille sur un babillard.*

*Il n'a pas attendu que les deux autres finissent de s'entretuer pour leur sauter dessus. Tout était terminé en moins d'une minute. Je n'ai jamais vu un combattant aussi déchaîné.*

*Il m'a fait gagner 340 dollars ! Alléluia ! C'est un naturel, une vraie machine, une machine très intelligente.*

*Et il continue de me porter chance. On m'a demandé de l'accompagner à terre, ce qui va me permettre de rentrer à la maison. Je dois m'assurer qu'il mangera ses trois repas par jour et qu'il prendra sa médication toutes les six heures. Cette merde va le tuer, comme elle a tué les autres.*

*Au menu demain, casserole de fruits de mer et... hot dogs ! Barbares !*

•

Le Phào, après huit jours de navigation sous-marine, refait surface dans son abri souterrain le long de la côte. Il avait fallu deux ans aux 1500 prisonniers armés de pics et de pelles pour convertir la grotte naturelle en un mouillage capable de recevoir quatre submersibles.

Le long du quai numéro trois, deux voitures suivie d'un fourgon attend que la passerelle soit installée pour prendre possession de la marchandise.

Minh grille une cigarette en compagnie d'un officier qui pointe son vieux Tokarev dans le dos d'Alx, comme si ce dernier pouvait défaire sa camisole de force et lui sauter dessus. Quelques minutes plus tard, un homme de pont accompagné de deux soldats leur signale qu'il est l'heure de partir.

Alx est installé dans le fourgon avec l'officier qui refuse de rengainer son pistolet, pendant qu'on fait signe à Minh de monter dans la voiture de tête, où l'attend le scientifique en chef.

– À quelle heure remonte sa dernière dose ? demande le chercheur.

Minh regarde sa montre.

– Il y a près de deux heures.

– Excellent. Je lui donnerai la prochaine. On va leur montrer de quoi il est capable.

L'édifice du Service de l'information, un euphémisme pour décrire l'endroit où l'on corrompt, torture et assassine des gens, ressemble à un cube en briques où sont accrochées de fausses fenêtres comme des tableaux au mur d'un salon. Seuls des ignorants ou des touristes seraient assez stupides pour approcher l'immeuble. Et comme il n'y a pas de touristes, il ne reste que les ignorants qui, soient apprennent très vite, soit disparaissent sans laisser de traces.

Alx et Minh sont amenés au sous-sol. Le scientifique en chef se rend au quatrième étage où il est reçu par le responsable et ses subalternes.

Afin d'éviter tout malentendu, on assoit un traducteur à côté du chercheur qui, pourtant, maîtrise bien la langue. Il présente ses doléances d'entrée de jeu.

– Messieurs, la nouvelle mouture du Don du ciel progresse, mais c'est un chemin long et tortueux. Pour accélérer le programme, il nous faut absolument augmenter le nombre de combats et pour ce faire, nous avons besoin de plus d'enfants. Nos essais cliniques ont été effectués jusqu'à maintenant avec des ressources provenant essentiellement d'Asie, d'Afrique et du Moyen-Orient. Un premier test a été réalisé la semaine dernière avec un Nord-Américain. Bien qu'il reste beaucoup de travail à faire, les résultats sont encourageants, comme vous le verrez sur la vidéo qui va suivre. Vous aurez ensuite l'occasion de mettre NA15 à l'épreuve.

Il fait signe à un homme qui appuie sur une télécommande, puis s'avance près de l'écran.

– Les trois garçons que vous voyez sont d'origine chinoise...

•

Sa peau raccommodée cherche à s'ouvrir chaque fois qu'il change de position. En ouvrant les yeux, Alx aperçoit un nouveau décor et dans ce décor, il y a cet homme qui le regarde.

Une fois injectée, la dose de Don du ciel fait réapparaître la fille de la cour d'école, qui lui chuchote sa détresse. « Je suis dans le cachot, Alx. Le petit garçon est blotti contre moi. Il est si seul et sa blessure, si profonde. Si tu voyais comme il pleure. Dans chaque larme, il y a toutes tes peines. Tu dois le sauver, Alx, tu dois nous sauver. Nous souffrons. Nous t'aimons et nous souffrons. Fais vite, car il reste peu de temps. Libère-nous et nous serons heureux pour toujours. Nous serons enfin complets. » Les minutes passent, puis les mots s'éteignent, les supplications cessent et il ne reste qu'un insoutenable vide.

•

« Il s'agit d'un cas d'autisme atypique », avait dit sans vraiment le savoir, le pédopsychiatre de l'Hôtel-Dieu du Sacré-Cœur pour expliquer le manque d'interaction sociale d'Alx, ses intérêts restreints et ses comportements répétitifs. Mais c'était surtout son retard important dans le développement langagier qui l'en avait convaincu.

La colère de Léon explosa en sortant de l'hôpital. « C'est fini, les charlatans ! Ça fait des études pendant dix ans et c'est incapable de comprendre que mon Alx se développe par en dedans. Fini ! » avait-il répété en montrant Marie-Louise du doigt.

Elle était restée silencieuse pendant tout le trajet entre Québec et l'Anse-aux-Bernaches. Elle aurait voulu croire Léon et retourner à la maison, convaincue que la situation n'était que temporaire et qu'ils auraient bientôt un garçon comme les autres. Mais les évidences racontaient une autre histoire. Alx n'interagissait avec personne sauf Lulu, sa grotte constituait son seul intérêt et il devenait irrité dès qu'on altérait sa routine.

Les années avaient passé sans que rien change. Elle aurait dû prêter attention, ils auraient pu faire quelque chose. Aujourd'hui, elle se rappelle cet homme assis sur une chaise pliante dans l'entrée d'un centre commercial et qui frappait des cuillères de bois sur sa cuisse au rythme d'un rigodon. L'intensité de son regard fixé sur ses cuillères l'avait étonnée. C'était une concentration qui tenait de l'apostolat, et que rien ne faisait dévier.

Elle avait toujours refusé de regarder la chose sous cet angle. Alx était peut-être assis quelque part, à frapper des cuillères de bois.

•

*Il risque d'exploser,* se dit Minh, qui encourage NA15 à boire, après lui avoir donné trois autres pilules. « Ce sont les dernières. Prends une autre gorgée. » Les yeux d'Alx sont en sang, son front perle et sa respiration est haletante. « Ça va aller », ajoute-t-il, regrettant aussitôt ses mots, des mots cons qu'il ne pouvait s'imaginer dire dans la jungle du Vietnam, juste avant de faire sauter une tête. « Ça va aller. Bang ! »

NA15 va mourir ce soir ou cette nuit. Si tout se passe bien, il ne souffrira pas longtemps, espère Minh, alors qu'arrive son escorte.

Alx ferme les yeux en entendant un garçon crier dans sa tête. Le gémissement du petit dans son cachot devient intenable. Il reconnaît cette fois la voix de son tourmenteur. « Arrête de bouger ! tu vas éteindre mon feu. »

•

Le combat se prépare dans l'arrière-cour, où des soldats ont improvisé une arène en enroulant des fils barbelés sur des chênes.

Au centre du ring, un homme vêtu d'un kimono noir fait des exercices d'échauffement. Ses mains enroulées dans des bandelettes de tissus tabassent un adversaire imaginaire. Le maître en art martial, qui n'a pas combattu depuis trois jours, s'impatiente. Minh reconnaît les mouvements. Le hapkido rassemble les meilleures techniques pour tuer en concentrant chaque frappe sur les points vitaux du corps.

Les militaires aux uniformes vert olive et portant des casquettes surdimensionnées sautillent pour se réchauffer les pieds, tandis qu'approche l'autre combattant avec son entourage. Les yeux bandés, Alx suit derrière, aidé par des gardes qui guident ses pas. Le maître commence à réciter une sorte de prière pendant qu'on soulève une section du barbelé afin de permettre à NA15 de venir le rejoindre. Après l'avoir assis sur un tabouret, on lui enlève sa camisole de force et son bandeau. L'expert du hapkido étend les bras dans sa direction pour capter ses énergies et les rediriger contre lui.

Le dirigeant pointe son arme vers le ciel. Le scientifique en chef regarde nerveusement son poulain en espérant qu'il tiendra au moins une minute. Le pistolet claque et les soldats se mettent à crier. Le maître fait un pas de côté puis se retourne, prêt à avancer la première pièce d'un échiquier qu'il entend bien dominer.

Au lieu d'un homme en kimono, Alx voit s'approcher un garçon tenant un briquet. Les yeux fixés sur la flamme imaginaire, il ignore la savate qui décroche sa mâchoire et le projette contre les barbelés, lui déchirant la peau. Il tombe face contre terre. La senteur du gazon se mêle au goût ferreux du sang qui s'écoule de son nez. Son visage est déformé par sa mandibule qui pend d'un côté. « Alx, tu dois nous libérer, chuchote la fille de la cour d'école. Fais vite où nous allons mourir. Nous souffrons. Nous t'aimons et nous souffrons. » Il ramène lentement les bras, glisse les mains sous sa poitrine, et pousse. La surdose d'adrénaline lui donne la force de se relever. Papotant avec les soldats, le maître tourne le dos à son opposant en espérant une attaque-surprise. Désorienté, Alx s'arrête devant les barbelés. Minh s'approche, ignorant le militaire qui lui intime l'ordre de retourner s'asseoir. Un pistolet se pose sur la tempe du cuisinier et le met au défi de poursuivre. Dans un geste qui tient davantage du réflexe que de la bravoure, Minh frappe sur le bras du soldat. L'arme se décharge dans les airs avant de tomber dans le ring.

L'endroit se transforme en une fresque où se déroulent plusieurs scènes à la fois. Les soldats autour de l'arène se mettent à couvert derrière les arbres, pendant que le scientifique en chef se réfugie sous une table. Conscient des apparences, le dirigeant ne bouge pas d'un poil, rassuré par le maître qui sourit. Le combat devenait enfin intéressant.

Les yeux sur le Tokarev, Alx essaie de prendre la mesure de ce qui se passe. « Prends le briquet, dit la voix. Vite, prends le briquet et brûle tous ceux qui nous font mal. » Il se penche et ramasse le pistolet pendant que deux hommes et leur Kalachnikov prennent position. Le maître aurait pu facilement le désarmer, mais cela aurait nui au spectacle et à la légende qu'il se forgeait. Et puis, qui serait assez fou pour se servir d'une arme alors qu'une demi-douzaine de mitraillettes vous tient en joue ? Il profitera du moment d'hésitation – il y en a toujours un – pour le briser.

« Ta mère est une pute, et toi tu es le fruit d'une pute. » Alx reconnaît la voix. C'est l'une de ces folles de la cour d'école, cachée derrière le conteneur à ordures. Il glisse son index sur la gâchette. « Tu es un déchet sans voix. Tu vas mourir, et c'est tant mieux. »

Il porte la main gauche sur sa mâchoire pour la soutenir, puis fait face au maître qui ne peut savoir qu'en plus d'atténuer la douleur, le Don du ciel inhibe toutes formes d'hésitations. Alx appuie si rapidement sur la détente que le pistolet s'enraye sur la quatrième douille. Deux balles atteignent leur cible.

Toujours sous la table, le scientifique en chef aura besoin d'un pantalon propre avant de rentrer à la maison. Le dirigeant lève le bras, signalant qu'il exécutera le premier qui défiera ses ordres. Il donne 30 secondes au responsable de cette bévue pour entrer dans l'arène et désarmer NA15.

Alx a dégagé le mécanisme et il est prêt à faire feu. Minh passe entre les barbelés. Son heure est arrivée. Le fou va le tuer avant d'être criblé de balles. L'arme est pointée dans sa direction. Il ne reste qu'à presser la gâchette. Alx l'avait averti de cesser de torturer le petit garçon. Il ne l'avait pas écouté. Le temps est venu de payer.

Minh s'était déjà retrouvé dans pareille situation. C'était pendant la guerre, et l'homme qui braquait sa carabine sur lui ne semblait plus se rappeler quoi faire : tu vises et tu tires. Et s'il bouge encore, tu tires à nouveau. Il avait parlé au soldat jusqu'à ce qu'il baisse son arme, un geste qui lui coûta la vie.

La main d'Alx se fatigue et le Tokarev commence à descendre. « Ça va aller, mon garçon. Donne-moi le pistolet ; sinon, on va se retrouver tous les deux au ciel. » Minh fait un pas et tend la main. La balle traverse son épaule, juste au-dessus de la clavicule.

•

L'admiration vouée au crétin en kimono se croyant invincible se transforma en courant de sympathie pour le cuisinier du Médusa qui, après avoir pris une balle, réussit à convaincre NA15 de lui remettre son arme.

L'épisode est cependant une catastrophe pour le scientifique en chef qui aurait fusillé sur-le-champ ce pleutre, incapable de finir le travail. Il n'aurait pas dû présenter NA15, il n'était pas prêt. Ce devait être lui le héros, pas ce minable cuistot.

Après avoir traversé son trapèze gauche, le projectile s'était coincé dans l'écorce d'un arbre. Le soldat qui l'avait trouvé hésita avant de se rendre à l'infirmerie pour le remettre à Minh. Il n'y a pas de médaille plus glorieuse que celle d'une balle portant les traces de vos entrailles. Il avait imaginé toutes sortes de scénarios pour en expliquer sa possession, mais rien ne collait. Comment une balle aurait-elle pu traverser sa peau sans laisser de marque? Ses histoires étaient trop alambiquées pour être crédibles. Il serait démasqué en moins de deux. On ne pardonne pas ce genre d'écart.

Le soldat se plante devant Minh en l'apercevant, alors qu'il sort de l'infirmerie, le bras en écharpe. Il est surpris, puis choqué lorsque le cuisinier refuse de prendre cette reconnaissance ultime de bravoure. « Fais-en ce que tu veux », avait-il dit en pestant. D'après le registre officiel, Minh avait transpercé 127 peaux. Chaque balle portait des marques de sang, de graisse et de cervelle. Elles avaient saccagé la maison et tué l'âme qui l'habitait. Il n'y avait rien de glorieux à cela.

Un petit caporal à lunettes s'approche de Minh et se racle la gorge avant de lui adresser la parole. « Camarade, vous accompagnerez l'étranger jusqu'à Hŭngnam et le remettrez aux autorités. Il lui tend un papier. Ce laissez-passer expliquera votre situation. Faites bon voyage. » Il lui tourne les talons pour revenir aussitôt. « Vaudrait mieux le remettre d'abord sur pied, ajoute-t-il. Le camarade Sook a été informé. Il est au port et vous attend. » Minh pousse un soupir de soulagement. Les mauvaises nouvelles passent toujours mieux lorsqu'elles viennent des autorités.

Son père adoptif, un être irascible qui l'avait donné en pâture aux militaires et qui n'hésiterait pas à le refaire contre un avantage quelconque, venait de fêter ses 83 ans. Minh se demande chaque fois pourquoi il rend visite à cet homme qui ne l'aime pas. Mais c'est dans ce village perdu de la côte nord-coréenne que se trouve son seul pied-à-terre, une petite maison qu'il avait fait construire pour sa belle-mère décédée qu'il adorait. Aujourd'hui, c'est une cousine éloignée avec ses trois garçons qui l'habite. Il ne lui demande rien en retour, sauf d'entretenir les lieux et de ne laisser personne entrer dans sa chambre, où flotte encore le parfum de cette femme qui l'avait élevé.

•

Des centaines de cercueils vides sont mis en terre chaque année afin de permettre aux familles éplorées de faire leur deuil. On ne retrouvera pas le fils pulvérisé par une bombe, le frère perdu en mer ou la sœur dont l'avion s'est écrasé au milieu de nulle part, explique Marie-Louise au curé, qui refuse catégoriquement d'officier sans la présence d'une dépouille mortelle. « C'est peut-être monnaie courante ailleurs, mais pas chez nous. » Il reste campé sur ses positions jusqu'à ce que sa menace de faire inhumer Alx au cimetière du village voisin arrive à l'oreille du maire. Les deux patelins s'étaient engagés dans une lutte sans merci pour obtenir le titre de la plus grande agglomération nord-côtière afin que vienne s'établir le futur bureau du ministère régional de l'Emploi. À ce jeu, chaque âme compte, martèle le maire, chaque fois qu'il en a l'occasion, même celles qu'on enterre.

Le convoi funèbre se présente devant le portail à dix heures pile, sous un ciel d'un gris convenable. Intriguée, la foule qui remplit l'église se demande comment on célèbre le départ d'un corps qui n'est jamais arrivé. Agglutinés sur le parvis, les hommes fument une dernière cigarette, pendant que des gardes paroissiaux escortent les dames âgées.

Claudette sort la première de la limousine et ouvre la portière à sa sœur, accompagnée de sa fille. Les curieux s'écartent en silence devant Marie-Louise qui les regarde. Elle accuse Léon de lui avoir pris son fils pour se venger, elle accuse aussi tous ces hypocrites cachés sous des masques tristes. Derrière la façade, elle imagine le double menton du père de Gabriel, cet élève de quatrième qui avait mis le feu à la queue de chemise d'Alx pour voir s'il était vraiment muet. Juste à côté, le sourire narquois du petit gros qui lui volait son argent de poche. Plus loin, les yeux critiques de sa pédagogue qui voulait le placer dans une « classe spéciale ». Monsieur Didier, un immigrant français qui enseigne les arts plastiques, est le seul rayon de soleil dans cette mer de faux jetons. Il avait vu en Alx un artiste de talent, un peintre, même.

Le curé invite l'assistance à se lever, tandis qu'on roule le cercueil jusqu'à l'avant. Tout au long de son oraison, l'homme d'Église cherche des mots réconfortants qui tombent à plat. « Le Bon Dieu a ramené auprès de lui son enfant, un enfant pour qui la vie n'a pas été facile..., il nous regarde de là-haut, en compagnie de son père..., il manquera sûrement à tous ses amis... »

La cérémonie se transporte ensuite au cimetière pour un dernier au revoir. Lucie aurait voulu que son frère soit enterré près de Cyriac. « Ils seraient sûrement partis à l'aventure », se dit-elle.

Serrant sa fille contre elle, Marie-Louise fixe l'horizon en mesurant l'ampleur du vide que laissera la perte de son fils.

# V

L'analgésique finit par éteindre le feu qui brûle Alx, tandis qu'il est escorté jusqu'au port.

– Amenons-le en fond de cale, dit Sook à Minh, aussitôt les soldats partis.

Après l'avoir attaché au grand mât, ils l'abandonnent parmi les caisses de poissons vides, dont l'odeur fétide, combinée au relent du bois moisi, ferait lever le cœur aux plus endurcis.

Un frisson traverse Alx, malgré la chaleur étouffante. Il ne réussit pas à garder sa jambe entaillée par le barbelé hors de l'eau morte du sampan.

Dans un coin, une veilleuse accrochée à un clou dessine des ombres qui valsent sous l'effet du roulis. Il examine la carène retenue par de massifs étriers en fer forgé, lorsqu'un bruit, suivi d'un mouvement, attire son attention. Deux billes noires scintillent juste au-dessus d'un rouleau de cordage. Sur le côté, une queue poilue remue comme un serpent. Alx claque la langue à quelques reprises, cherchant à attirer l'attention de cette nouvelle menace. Ses mains ligotées dans le dos font de lui une proie facile. Mieux vaut en finir rapidement, plutôt que de souffrir l'angoisse d'une attaque-surprise.

L'animal se déplace vers sa droite, derrière de grandes boîtes. Une corde reliée au plafond suit le mouvement. La bête est attachée. Alx frappe du pied, essayant de provoquer quelque chose. À l'abri d'une planche, la petite tête ronde se montre, pour aussitôt disparaître. Le crâne poilu réapparaît quelques secondes plus tard, puis se cache à nouveau. Le manège se poursuit pendant plusieurs minutes. Alx a beau fixer l'endroit du regard, plisser les yeux, il reste incapable de reconnaître l'animal.

Le singe finit par se décider. Il monte debout sur une futaille et gonfle le thorax, cherchant à exagérer son corps famélique. Un collier de cuir servant d'ancrage à la longue laisse, ceinture son cou. Sa gueule grande ouverte lâche un premier râlement. Le second cri se solde par un graillement tout aussi pathétique. Humilié, le macaque d'à peine 30 centimètres s'écrase sur son minuscule postérieur, puis fixe l'étranger de ses yeux exorbités.

Alx claque de nouveau la langue pour attirer le petit animal qui s'approche par-derrière. Il s'appuie sur le dos du garçon, puis relâche sa poussée, créant un mouvement de va-et-vient auquel Alx se prête. Rassuré, le singe monte sur son épaule et s'y assoit. Après l'avoir observé longuement, il lui touche la joue et les oreilles avant d'enfoncer ses doigts décharnés dans son épaisse coiffure, examinant soigneusement ses phalanges après chaque ratissage. Un pou qui grimpe sur son index, attire son attention. Après l'avoir senti, il l'enfouit dans sa gueule et replonge sa main dans la crinière, traquant les petites créatures qu'il récolte avec la dextérité d'un cueilleur de fraises.

Le singe décampe lorsque la porte s'ouvre toute grande et que les marches d'escalier craquent. « Bande-lui les yeux et amène-le », ordonne Sook. Minh lui couvre la tête avec un sac de jute et délie la corde qui le retient à la base du mât, puis lui rattache les mains derrière le dos. En mettant le pied sur le pont, Alx perd l'équilibre et va embrasser la rambarde. La peau au-dessus de son arcade sourcilière droite se fend sous l'impact. « Pas très marin, le petit Blanc », se dit le vieillard. Minh lui enlève la cagoule et en fait une compresse.

– Que fais-tu ? demande Sook.

– Je ne suis pas un gardien de prison. Et puis, où veux-tu qu'il aille ?

Son beau-père lui arrache la cagoule des mains et la remet sur la tête du garçon, toujours étendu sur le dos. Alx n'a plus qu'une jambe sur laquelle il peut compter. Cette jambe monte d'un seul coup et s'arrête contre les pierres précieuses du bonhomme qui cherche à l'enfourcher. Le vieux pêcheur plie comme une chaise avant de se mettre en boule. Après plusieurs minutes, la douleur finit par s'estomper suffisamment pour lui permettre de ramper jusqu'à son hamac. Il aurait juré avoir vu sur le visage de ce diable d'étranger quelque chose qui ressemblait à un sourire.

À l'horizon, le soleil descend sur une bordure sombre qui annonce la côte. Le sampan ralentit et met le cap au nord.

Alx découvre une nouvelle végétation. De grands palmiers dressés comme des parapluies ouverts dominent l'arrière d'une plage au reflet champagne, pendant qu'une haie d'arbustes entremêlés tient l'avant-scène. Le bateau entre dans une baie et s'aligne sur une plateforme délabrée qu'éclaire un luminaire à demi voilé par la suie. Sook coupe les moteurs et se laisse glisser jusqu'à l'embarcation d'un voisin à laquelle il s'amarre.

Les abords limoneux du quai sont encombrés de caisses en bois remplies de poissons aux couleurs vives, dont certains frétillent encore. Minh donne le bras à Alx qui touche terre pour la première fois depuis..., en fait, depuis quand, au juste ? Une semaine ? Un mois ? Un an ? Il n'en sait rien.

Ils s'éloignent à la file indienne et se dirigent vers une charrette près d'un bosquet d'acacias, conduite par un enfant d'une dizaine d'années.

Les pluies saisonnières des dernières semaines ont lavé le chemin de son sable fin pour ne laisser que de la rocaille qui soulève les roues en bois et rosse le derrière de ses passagers. La noirceur, de plus en plus dense, dissimule ses monstres à la lisière du couvert végétal, ce qui n'a pas l'air d'inquiéter Minh qui somnole, le visage caché sous son chapeau de paille.

Une demi-heure plus tard, le garçon annonce le village en pointant au loin des lumignons qui chatoient à travers le feuillage. La charrette bifurque vers la gauche, contourne une colline sur laquelle s'accrochent des paillotes, puis s'immobilise devant une fourche qui conduit à une maison où des gamins aux vêtements délabrés, attendent. « Approchez », lance Minh sans même regarder. Les enfants de sa cousine se ruent vers la charrette. Leurs cris et leurs rires s'arrêtent à la vue de l'étranger. La charrette reprend son chemin, laissant derrière le cuisinier et son prisonnier. Les enfants font la file en silence, curieux de ce garçon à la peau claire et aux cheveux remplis de soleil qui clopine à quelques pas d'eux.

Une lanterne répand sa lumière jaunâtre sur la pièce principale qu'occupent une petite table et quatre chaises. Une senteur âcre de cari imprègne l'endroit. Les gamins s'éclipsent derrière un rideau avant d'être happés par une paire de bras. Minh appelle sa cousine qui apparaît dans l'embrasure de la porte. Des vêtements amples cachent un corps efflanqué au visage profond et légèrement émacié. Elle le fixe d'un regard atone, attendant les ordres. « Sers-nous à manger. » Deux bols de riz fumant arrivent, tandis que dans l'ombre des draperies entrouvertes, les petites têtes suivent avec curiosité l'inconnu qui se met à table. Seuls les borborygmes de Minh brisent le silence du repas.

Alx est ensuite conduit dans une cabine adjacente à la maison, au moment où une pluie torrentielle s'abat. L'abri possède pour unique mobilier une vieille paillasse roulée contre le mur, et un banc. Il installe le matelas et fait signe à Alx de s'y allonger avant de l'attacher à la poutre centrale. Au loin, des éclairs commencent à déchirer l'épaisse couverture nuageuse, pendant qu'un petit chien effrayé par le bruit vient se blottir dans un coin.

Alx se remet à frissonner, bien qu'il soit en sueur. Une poussée de fièvre accompagnée de violentes migraines le tourmente. Il a faim, mais surtout soif.

•

Un mur de brouillard descend et l'emporte dans les airs comme un faucon attrapant une souris au milieu d'un champ. Alx sent la force ascendante le transporter à une vitesse folle. L'étrange brume se dissipe soudainement, le laissant épinglé dans le ciel sans nuage pendant de longues secondes, avant qu'il ne plonge. Sous ses pieds, la surface d'un bleu uniforme commence à se plisser. Les petites lignes blanches se transforment en vagues colossales. Il n'est plus qu'une goutte de pluie fonçant sur un immense plancher. Son corps transperce l'océan sans conséquence. L'eau passe d'une couleur indigo au verdâtre, puis au gris-noir. Il se met à hyperventiler jusqu'à ce qu'il réalise que ses poumons se remplissent toujours d'air. En face de lui se dessine une montagne dont la base se perd dans la pénombre. La force l'emmène à quelques mètres de la masse qui s'élève devant lui, pareille à une cathédrale. Il n'est plus qu'un atome se faufilant entre les molécules d'eau. L'étrange énergie amorce une remontée, contournant chaque saillie, pénétrant chaque crevasse. Les couleurs se mettent à pâlir, alors qu'il croise un banc d'éperlans près de la surface. Il retient de nouveau son souffle lorsque sa tête émerge de l'eau comme un liège.

La clarté du jour embrouille ses yeux, qui finissent par s'adapter et distinguer peu à peu certaines formes. Une épaisse ligne grise surmontée d'une bande olive se change en rivage rocailleux clôturé de sapins et d'épinettes rabougris, et sur lequel s'avance une plage. Le quadrilatère noir à sa droite devient un quai assis sur des pilotis goudronnés, auquel est amarré un navire dont le nom lui est familier. Son regard se tourne alors vers la côte, où il reconnaît le Beau-séjour, puis loin derrière, la grande église. C'est bien l'Anse-aux-Bernaches. La force invisible lui fait longer le vraquier. Appuyé au bastingage, l'homme qui le suit partout, grille une Gauloise en regardant le large.

Alx flotte jusqu'à la rive où il sort de l'eau, sec comme un os, pour ensuite planer au-dessus du sable sans pouvoir le toucher de ses pieds nus. La force mystérieuse l'entraîne le long de la grève sur quelques centaines de mètres, et s'arrête. Il reconnaît l'endroit et se met à chercher sa cache des yeux. « C'est là ! » crie-t-il en montrant du doigt une crevasse entre deux pierres. Son corps s'y rend, comme si l'énergie lui obéissait enfin.

Son refuge semble être demeuré intact depuis son départ. Les empreintes laissées par ses bottes sont encore visibles. « Je veux entrer. » L'ouverture se transforme en une immense bouche qui s'entrouvre, dévoilant un couloir aux parois de chair et dans lequel il est entraîné. Au fond du passage éclairé par trois chandelles, il trouve une chaise avec une patte manquante et une bicyclette sans ses roues, appuyée sur une grande malle remplie d'instruments de musique. Chaque instrument est couvert d'une sorte de lave durcie et porte une étiquette beige sur laquelle est inscrit un verbe. Alx prend l'harmonica. Le mot *Réponds* pend au bout de la ficelle. Il sort ensuite une flûte, un violon, un tambourin. Les verbes se suivent comme des ordres : *Demande, Crie, Murmure, Chante.* Ces mots, il les connaît tous, il les a espérés toute sa vie. *Remercie, Ordonne, Chuchote, Prie, Raconte, Explique, Riposte.* Au fond de la malle, il aperçoit une vieille couverture grise, soigneusement pliée. Ses doigts l'effleurent. Il la reconnaît et la porte à sa joue, puis à son nez. La maison, l'atelier, son père, Lulu s'y trouvent tous.

Sur la paroi rosée, des ombres se dessinent. Ce sont des gens qui forment un cercle autour d'un cercueil. Il entend d'abord la voix du docteur Fugère : « C'est la partie du cerveau permettant de former et d'articuler les mots qui est endommagée. Il ne parle pas parce qu'il ne sait pas comment faire » ; puis celle de sa mère : « Laisse-le tranquille, tu vois bien qu'il ne veut pas parler ! » « C'est un maudit *bum*, ton garçon ! » crie quelqu'un. Sa gorge se noue et des larmes apparaissent lorsque Léon se met à parler : « Ça, c'est Nostradamus ; à droite, c'est l'Orignal et celle-là tout en bas, c'est le Taureau à quatre cornes... Juste au-dessus de l'horizon, c'est la Cache du gros Jacques... »

Les ombres sont tout à coup balayées sous l'effet d'une brise qui fait courber les chandelles. Une pression s'exerce soudainement sur sa poitrine, puis sur ses jambes. Sa tête paralyse. « Voleur ! » crie une voix. Son thorax commence à se briser sous l'invisible pesanteur. Il respire à peine, alors que son esprit vacille et glisse dans un autre gouffre encore plus profond, plus effroyable que le précédent.

« Va chercher le guérisseur. Fais vite », aboie Minh à sa cousine.

•

Bee ressemble à un squelette tenu ensemble par une peau moulée si serrée sur l'ossature qu'on la croirait peinte. Sur son tronc s'accrochent de longs bras tordus comme des branches et se terminant par des mains particulièrement hideuses dont les ongles noircis inspirent peu confiance, surtout auprès des femmes qui le considèrent comme un hurluberlu malpropre. Avec de la chance ou par le biais de ses recettes mystérieuses, on ne sait trop, il a réussi plus d'une fois à remettre sur pieds des personnes dont on avait compté les jours.

Affublé d'un chapeau noir vissé sur son crâne, Bee s'amène en tempête et réquisitionne la cuisine dès son arrivée pour y décanter ses mixtions à base de chanvre, d'adonis et de pourpier qu'il verse dans la bouche d'Alx, dépérissant sans se battre. Dans un coin de la cabine, les enfants observent cette peau blanche perlée de sueur.

•

Le guérisseur continue à prodiguer ses soins, doublant les doses, triplant les incantations, jusqu'au matin du 11$^{e}$ jour où son acharnement finit par porter ses fruits. C'est l'un des gamins qui, le premier, voit les doigts d'Alx se refermer sur sa paume comme une fleur qui cherche à s'abriter du froid. Encouragé par la faible manifestation,

Bee fait signe au petit de s'approcher et de mettre sa main dans celle d'Alx. « Avertis-moi s'il se réveille », ordonne-t-il.

Investi de l'importante mission, le garçon n'ose pas bouger pendant près d'une heure, jusqu'à ce que l'ennui le pousse à agir. Il commence à lui effleurer doucement le bras, imitant le geste de sa mère lorsque des cauchemars le tiennent éveillé. Ce contact anodin ranime chez Alx cette flamme programmée au fond de l'être et dont la seule mission est d'assurer la vie. Il tourne son poignet en essayant de ramener sa main sur sa poitrine, mais en est incapable. Le garçon l'assiste dans la manœuvre, alors que revient Bee. Après avoir engueulé vertement le petit pour ne pas l'avoir prévenu plus tôt, le guérisseur se met à masser vigoureusement les jambes et les bras de son patient, lui occasionnant une intense douleur qui le ressuscite une fois pour toutes. Alx cligne des yeux, puis ouvre et ferme la bouche comme une carpe cherchant son eau. Bee voit en cela un signe de l'âme qui lutte contre le malin. Il le retourne face contre terre et porte une série de coups le long de sa colonne vertébrale. Minh apparaît au même moment. À cheval sur le dos d'Alx, les poings enfoncés entre ses omoplates, Bee ne prend pas la peine de se retourner. « Il vivra. »

•

Le guérisseur remplace ses mélanges insipides par une purée de légumes dont la déglutition reste pénible. Les yeux entrouverts d'Alx errent dans tous les sens, préoccupant Bee qui continue de les couvrir avec des feuilles de vipérine.

Le 13e jour, il convoque Minh pour lui faire part de son diagnostic. « L'étranger ne voit plus. » Bien qu'Alx ne puisse comprendre, le cuisinier éprouve une sorte de malaise en regardant le garçon blotti dans son hamac, dont le futur déjà incertain vient d'empirer.

Le lendemain matin, Bee juge que son malade est prêt à faire ses premiers pas, mais il rend tripes et boyaux dès qu'on le met sur ses pieds. Heureusement, il montre des signes de progrès les jours suivants. Lassé de servir d'appui-bras, le guérisseur réquisitionne l'un des enfants qui ne demande pas mieux. Une forme de langage s'établit rapidement entre le gamin et Alx. Lorsqu'il lui touche le bras, c'est pour lui proposer une promenade, un effleurement sur ses lèvres, pour lui demander s'il a faim, un autre sur les yeux, s'il veut dormir. Alx répond en serrant légèrement le bras. Une fois pour un oui, deux fois pour un non. La présence constante et rassurante du garçon qui ne lui lâche jamais la main l'empêche de céder à la panique et de devancer l'exécution de son plan. Sur les dix jours qu'il s'est accordé pour en finir, il n'en reste plus que trois, d'après ses estimations basées sur le jeu d'ombre et de lumière traversant ses paupières, soir et matin. Trois jours avant de se donner la mort. L'idée ne lui fait pas peur. Il espère seulement que le courage ne lui manquera pas lorsque viendra le moment d'enfoncer le morceau de bambou qu'il cache dans la petite hutte servant de toilette. Dans trois jours, il le saura.

Les brèves promenades autour de la maison se transforment peu à peu en randonnées à travers le village. Malgré l'attention qu'il lui porte, son aide ne peut prévenir toutes les chutes de son protégé sur la chaussée mal entretenue. Les avertissements, incompréhensibles aux oreilles d'Alx, demeurent sans effet. Il tombe et se relève chaque fois sans perdre patience, frottant ses coudes éraflés.

Le dernier jour de sa vie, du moins tel qu'il l'avait envisagé, arrive enfin. Il décide de reporter son suicide, sans pour autant abandonner son plan. À chaque visite aux latrines, il touche le morceau de bambou qui aura éventuellement le mot de sa fin.

Le matin du 22e jour de son arrivée, le gamin l'amène sur le bord de la mer située à près d'un kilomètre. Ils parcourent la distance sans trop de difficulté. Alx se déplace avec de plus en plus d'assurance, prenant même le temps de humer le parfum des fleurs qui longe le sentier. L'air salin annonçant la côte et le contact du sable fin sur ses pieds le fige. Le garçon se met à le tirer, comme on le fait avec une mule, jusqu'au quai servant de plongeoir, puis s'élance au bout de la planche pour retrouver ses amis.

Alx a beau entendre le roulement de la mer, le rire des enfants clapotant tout près de lui, il ne parvient pas à mettre en relation ce qui l'entoure. Cet univers éthéré disparaît brusquement lorsque le petit qui l'a rejoint lui trempe les doigts dans une vieille boîte de conserve remplie d'eau salée. Alx les retire aussitôt. Son aide lui tourne la main, puis verse l'eau dans sa paume. La curieuse sensation fait remonter à la surface une chose familière, une chose égarée dans les dédales brumeux de sa mémoire. Le fleuve Saint-Laurent qui s'allonge au pied de l'Anse-aux-Bernaches lui apparaît. Le front plissé, le regard droit, il s'accroche à l'image en cherchant un horizon qu'il ne peut voir. Ses paupières se mettent à battre comme une lampe incandescente qui transmet un message codé. L'Anse-aux-Bernaches est à sa portée, il peut presque la toucher. Ses pupilles dilatées se contractent, puis s'ajustent progressivement à la lumière ambiante, acheminant quelques photons à sa rétine qui réagit pour la première fois depuis plus d'un mois.

Sa vision embrouillée s'améliore au fil des jours. Le halo entourant les formes teintées de gris finit par disparaître. Il regagne peu à peu la vue, une vue désormais privée de couleur.

Les villageois suivent avec intérêt les progrès de l'étranger accompagné de son aide, tandis que Minh cherche comment le remettre aux autorités. Le risque est aussi grand pour lui que pour le garçon. Il est toujours fiché et, suivant la direction du vent ou de l'humeur du responsable en devoir, il peut se retrouver devant ou derrière les barreaux.

« J'irai », propose Sook.

•

Le lendemain à l'aube, la maisonnée se réveille sous les cris et les pleurs du gamin accroché à la cheville d'Alx, et qui repousse du pied le vieux pêcheur venu le réclamer. « Occupe-toi de lui », peste le vieillard qui ne parvient pas à s'en défaire. Minh l'entoure de ses bras et tire doucement jusqu'à ce que l'étreinte cède. Un sentiment de lâcheté l'envahit, alors que ses yeux, incapables de soutenir le regard du cadet de sa cousine qui ne comprend pas, cherchent ailleurs.

– Je t'accompagne, dit soudainement Minh.

– C'est trop risqué. Ils trouveront un prétexte pour t'enfermer. Minh hésite, si jamais on l'écroue, ce sera fini. Fais-moi confiance, poursuit Sook, je le remettrai entre les mains des autorités qui en prendront soin.

*En prendre soin. Des mots qui font peur lorsqu'il s'agit de la Corée du Nord,* se dit Minh, mais il doit penser à sauver sa peau. Il confie les documents à son beau-père qui les refile à son tour, à son homme de main. Alx monte dans la benne de la camionnette qui s'éloigne aussitôt, laissant derrière la petite maison qui l'a hébergé et soigné pendant près de deux mois.

Sook, dont le plan a failli tomber à l'eau, pousse un soupir de soulagement. Après un arrêt chez le guérisseur, il prend la route de Hŭngnam.

Les abords de la ville apparaissent trois heures plus tard. Pavée de boue séchée et bordée de détritus, la banlieue est sillonnée par des enfants insensibles au vent brûlant qui charrie sa puanteur quotidienne. À quelques pas se trouvent de petites maisons déglinguées s'appuyant les unes sur les autres, pareilles à un château de cartes prêt à s'effondrer.

Il contourne la route qui mène aux bureaux du gouvernement local pour se rendre au grand marché, où une foule compacte avance en file indienne entre les îlots de vendeurs, allant du marchand de singes et de serpents aux liseuses de feuilles de thé. La camionnette bifurque dans une ruelle bordée de boutiques qui s'ouvre sur une immense place où s'exécutent des amuseurs publics. Coincées dans la mêlée, les voitures de l'ère soviétique joignent leur klaxon au tintamarre. « Attends-moi ici, ordonne le vieux pêcheur à son aide. Surtout, ne laisse personne s'approcher. »

Habitué des lieux, Sook vient y traîner ses savates plusieurs fois par année afin d'y négocier des agrès de pêche usagés dans les marchés aux puces. Il se rend dans l'arrière-boutique d'un commerçant, certain d'y vendre sa marchandise à bon prix. « Regarde, c'est écrit. L'étranger appartient à celui qui possède le laissez-passer. C'est parfaitement en règle », insiste Sook en lui poussant les papiers estampillés dans les mains. L'homme juge le marché trop risqué. « Tu regretteras la bonne affaire. »

Les autres vendeurs ne se montrent pas plus intéressés. « J'aurais dû savoir. Ce ne sont que des pleutres », peste Sook, croisant au même moment une espèce de bouffon avec son ours qui fait des singeries en suivant la cadence des coups de fouet. Le petit attroupement de parents et d'enfants rit et applaudit à chaque pirouette de l'animal. La vue de ce spectacle donne une idée au pêcheur qui attend la fin de la représentation pour aborder l'amuseur.

– C'est pas mal ton numéro.

– Bof ! grommelle l'autre, dont la dernière recette ne donne pas à rire.

– Tu sais, les ours, ça fait un peu vieillot et ça n'attire plus grand monde.

Il observe son interlocuteur, espérant une réaction.

– Tu as peut-être une licorne à me proposer !

– Non, mais j'ai quelque chose qui pourrait te faire gagner pas mal d'argent, si tu es assez futé pour reconnaître l'aubaine.

– Si elle est si bonne, ton aubaine, pourquoi me l'offres-tu ?

– Je suis un pêcheur, pas un amuseur, répond Sook en montrant du doigt un coin de rue. Tu vois cette camionnette ? Il y a dedans une marchandise qui ne se trouve nulle part ailleurs : un impérialiste, un ennemi de la nation, un jeune Occidental, blanc comme du lait. J'ai même un document officiel qui donne plein droit à son propriétaire. La police ne t'embêtera pas.

Sook teste du même coup la fibre patriotique de l'homme qui ne bronche pas.

– Mais qu'est-ce que tu veux que j'en fasse ? Que je le promène au bout d'une corde ? Tu me fais perdre mon temps, vieil homme, et je n'aime pas perdre mon temps.

La vie n'a pas fait de cadeau à ce misérable qui s'est égaré dans l'alcool et la drogue, érodant sa vigueur et son indépendance de caractère. Passer la journée à contraindre un sac à poil à prendre des poses ridicules pour que s'amusent des imbéciles en retour de quelques wons n'est qu'un interminable supplice, un passage obligé entre deux seringues d'héroïne. Le long tourment vient de prendre fin, du moins pour aujourd'hui, et on l'empêche de partir. Le pêcheur doit faire vite.

– Et pourquoi pas ? Je connais des gens qui paieraient une petite fortune pour avoir l'occasion de cracher au visage d'un Américain.

– C'est un Américain ?

Sook obtient enfin son attention. Il faut maintenant donner un peu de fil avant de ferrer le poisson.

– Qu'est-ce que tu crois ? Mais pourquoi perdre mon temps avec toi, alors que j'ai déjà deux offres sur la table. Allez, bonne chance avec ton quatre pattes, lance-t-il en commençant à s'éloigner sans attendre la réplique.

– Ne pars pas, bafouille l'amuseur, pour qui les choses vont un peu trop vite.

– Et qu'est-ce que je vais faire de mon ours ?

– Donne-le, vends-le, mange-le ! On s'en fout, de ton ours !

– C'est combien, le garçon ? hasarde-t-il, finalement.

– Trois cent mille wons, lâche Sook, prêt à ramasser ce qu'il pourra.

– Trois cent mille wons ? Tu es tombé sur la tête, grand-père ! C'est la recette d'une année que tu me demandes !

– Deux cent cinquante mille wons. À prendre ou à laisser, relance le pêcheur d'un air convaincu.

– Deux cent mille wons.

Le vieillard cache difficilement son sourire.

– Tu es un dur négociant, c'est pourquoi tu seras un jour riche, et moi, je resterai le pauvre sardinier que je suis.

– Épargne-moi tes jérémiades. Je te retrouve ici dans une heure, avec l'argent.

– Dans une heure alors, et le garçon sera à toi. Au fait, quel est ton nom ? demande Sook en le prenant par le bras.

– Cho In-Bok, mais tout le monde m'appelle Bok.

– Eh Bien, Bok, viens que je te présente celui qui va faire ta fortune.

Les deux hommes se rendent à la camionnette en compagnie de l'ours qui fait tourner les têtes.

– Tu ne pourrais pas laisser ton charognard quelque part ? grogne le pêcheur qui ne veut surtout pas attirer l'attention.

– Attends-moi ici.

Bok disparaît avec son animal dans une ruelle avoisinante, avant que Sook n'ait le temps d'ouvrir la bouche. Il marche jusqu'à une maisonnette délabrée où vit un vieux picoleur entouré de ses bouteilles d'alcool frelaté.

L'ancien militaire converti en gendarme connaît bien l'amuseur pour l'avoir écroué une bonne trentaine de fois. Il avait cumulé un joli magot au cours des années en refilant de la drogue saisie. Moyennant une commission ridicule, Bok l'avait aidé à mettre les plus grands revendeurs à son service.

– Mais ma parole, c'est bien mon escroc favori qui vient me rendre visite. Ne me dis pas que tu t'ennuies de la prison à ce point. Je suis maintenant à la retraite, tu sais. Je pourrais peut-être te recommander à un autre policier qui se ferait un plaisir de t'envoyer au trou.

– Laisse tomber, l'emmerdeur. J'ai besoin d'argent. Deux cent mille wons. Il me les faut tout de suite.

– Deux cent mille wons ? Mais qu'est-ce que tu vas faire d'une pareille somme ?

– Pas de tes affaires. Alors, tu me les prêtes, oui ou non ?

Le policier entre dans sa chambre pour revenir avec une liasse de petites coupures.

– Deux cent mille wons.

– Je te les rendrai. Autre chose, faudra que tu t'occupes de mon ours.

– Pour combien de temps ?

– Pour toujours.

L'animal, qui boitait depuis des semaines, devenait de plus en plus irascible. Sa vie utile tirait à sa fin et il valait mieux s'en débarrasser avant qu'un évènement fâcheux ne survienne.

– Avec plaisir, répond l'ex-policier, heureux de pouvoir enfin essayer son lance-grenades.

Bok détache le collier, ramasse la chaîne, puis reprend son chemin.

Croyant avoir perdu son acheteur, Sook est soulagé de le voir tourner le coin de la rue. Enveloppé dans une couverture empestant le poisson, Alx, adossé au montant d'une roue, dort profondément. Pour éviter les surprises, le pêcheur lui avait enfoncé dans la gorge une mixture à base de pavot prescrite par Bee. Il retire la bâche, faisant apparaître la tête ébouriffée du garçon dont les yeux restent fermés.

– C'est ça, ton conquérant? tonne Bok, qui s'était façonné une toute autre image de la grande Amérique et de ses habitants.

– Je lui ai donné un calmant.

*Tant qu'il peut marcher. Le Don du ciel fera le reste*, se dit Bok en le soulevant pour lui passer une corde sous les bras et entourer les extrémités à son poignet. Alx ne sent aucune douleur. Lui couper une jambe aurait eu le même effet. Il fixe la camionnette, sans comprendre qu'il ne la reverra plus, tout comme le conducteur et le propriétaire qui se poussent aussi vite qu'ils le peuvent.

Bien qu'étourdi, Alx reconnaît la banlieue traversée le matin même. L'amuseur tourne vers la décharge publique où lui et sa bête règnent en maître. Les autorités tolèrent l'arrangement, car la présence nocturne d'un ours, même édenté, garde les vermines à distance.

La bicoque de Bok ressemble à un tipi couvert de vieux panneaux-réclame cloués à des lattes que retient une charpente conique faite de montants en bois solidement plantés à la base et joints au sommet par une corde de bateau. À une dizaine de mètres se trouve une sorte de niche géante avec un pieu de taille respectable autour duquel se dessine un large cercle parsemé de trous faisant penser à des impacts d'obus.

Alx s'écroule lorsque Bok lâche finalement prise. Relevant péniblement la tête, il se met à voir des choses qui n'existent pas. Le psychotrope transforme la montagne d'immondices en une cathédrale majestueuse. Le cri des goélands devient un chœur d'enfants entonnant des cantiques et les émanations nauséabondes se changent en odeur auguste d'encensoir.

Habitué à manipuler un ours de plus de 200 kilos, Bok n'a aucune difficulté à traîner sa nouvelle bête de cirque jusqu'au piquet où il l'attache pour la nuit.

La fraîche finit par raviver Alx, qui se réveille aux petites heures en grelottant, avec l'impression qu'on lui a enfoncé un clou dans la tête. Ses yeux enflés s'ajustent graduellement à la noirceur qu'il parcourt à la recherche de quelque chose de familier. Mais où est donc passée la chambrette ? Où est le gamin assis dans son coin ? Le stupéfiant a rayé les dernières heures de sa vie. Il ne cherche pas longtemps les réponses. Une autre chose l'interpelle, une chose douce et réconfortante. Il veut retrouver la cathédrale, les enfants de chœur et l'odeur parfumée de l'encens. Il veut, il doit retourner dans ce lieu sans douleur, un lieu que connaissent bien les narcotrafiquants.

•

Vaut mieux ne pas surprendre un ours dans son sommeil, avait appris Bok à ses dépens, c'est pourquoi il avait pris l'habitude d'annoncer son arrivée en frappant le côté de la cache avec son bâton, qui ne le quitte jamais. Le bruit sec réveille Alx. Son nouveau maître saisit la corde attachée à son pied et le traîne à l'extérieur comme un serpent qu'on extirpe de son trou par la queue. « Alors, Yankee, bien dormi ? » demande-t-il, fier du nom imaginé pour sa nouvelle attraction. Alx n'y comprend rien. Il regarde avec angoisse cet homme qu'il aperçoit pour la première fois. Le dresseur, qui en a vu d'autres, reconnaît la peur, la vraie, dans l'œil du garçon. Mû par un automatisme de survie, Alx se met en position d'attaque, prêt à affronter son adversaire. Bok s'approche en faisant des cercles concentriques. Alx pivote pour rester face à l'homme qui se décide enfin et fonce droit sur lui. Il le saisit par la chevelure et le renverse ventre contre terre avant de sortir de sa poche une ficelle qu'il passe autour de son cou afin d'en prendre la mensuration. Satisfait, Bok lui plante son bâton entre les omoplates, puis se relève en s'éloignant lentement, évitant de tourner le dos au redoutable Yankee.

Il revient au bout d'une heure, tenant en main un large collier de cuir aux extrémités fraîchement coupées. Le carcan lissé par la graisse, luit au soleil. L'odeur musquée qui s'en dégage ne laisse aucun doute sur son ancien propriétaire. Prêt à attaquer, Alx attend qu'il soit à sa portée pour bondir et le renverser. Le regard de Bok croise celui du garçon, étendu sur sa poitrine. Il voit, dans les yeux qui le fixent, une défiance qui l'inquiète. Habitué à lutter contre les bêtes et à les dompter jusqu'à la soumission, il repousse Alx violemment et se remet sur pieds. Sa nouvelle attraction a réussi à lui foutre la trouille, ce qui le fait sortir de ses gonds. Il empoigne son bâton et commence à le rouer de coups, hurlant et frappant pour mater la résistance cachée derrière cette peau blanche qui se fend sous l'impact. Alx cherche à se protéger le visage et la tête en roulant dans tous les sens. Le combat est de courte durée. Face contre terre, le corps perdu dans des haillons trop grands, il ressemble à une poupée qu'une fillette aurait habillée avec les vêtements de son petit frère.

Bok saisit Alx par-derrière et l'enfourche avant de lui passer la courroie de cuir autour du cou. Empreint d'une frousse mêlée de colère, il tire sur le collier au point de l'étouffer et de le pousser dans ses derniers retranchements. Alx agrippe l'attache et tente frénétiquement de s'en libérer. Il cesse de résister quand son nouveau maître, médusé par cette force surnaturelle, resserre sa prise.

•

Le soleil est au zénith lorsqu'Alx reprend connaissance. Portant la main à son cou, il touche pour la première fois le joug qui fait de lui un animal. Des bracelets de métal ceinturant son poignet et sa cheville droite sont joints par une chaîne que Bok a pris soin d'ajuster à sa taille.

À côté de lui gît une énorme gamelle bosselée en fer blanc et enduite d'une sorte de vernis laissée par la bave du carnassier. Elle est remplie d'un liquide verdâtre dans lequel flottent une demi-douzaine de mouches. Affamé, Alx s'adosse au fond de sa tanière et approche le bol qu'il met entre ses jambes. Il retire les insectes, puis y plonge ses mains jointes en forme de récipient. Les yeux fermés, il boit le jus d'une seule traite.

Une heure plus tard, le soleil qui tapisse l'intérieur de la cache disparaît derrière une ombre qui se profile dans l'entrée. Bok est de retour avec un chapeau haut de forme et une cape fabriquée à partir d'un vieux drapeau américain. Il voit avec satisfaction que Yankee a ingurgité le brouet d'herbes et de pâtes auquel il a ajouté un sachet de Don du ciel. La drogue augmente de façon importante les risques pour ceux qui auront le malheur de croiser sa route. Bok n'y manquera pas. C'est en jouant sa vie comme un gladiateur dans l'arène qu'il se sent vivant. Tout est question de dosage.

Alx apparaît, souriant, lorsque le dresseur le tire dehors par la jambe. La dopamine a ramené la jeune fille de l'école, celle qui le fait fondre chaque fois qu'elle lui parle. Elle est là, ses mains entourant son visage.

« Embrasse-moi, répète-t-elle, embrasse-moi et je te rendrai heureux. Tu es magnifique, Alx. Embrasse-moi. »

Le petit garçon dans le cachot au fond de lui ne s'est pas encore manifesté. Bok resserre les lacets de ses bottes et enfonce sa chemise dans son pantalon. Après quelques exercices d'étirement, il s'appuie sur le pieu et attend que l'orage éclate. Une dizaine de minutes plus tard, le sourire d'Alx s'assombrit, puis se déforme sous la terreur. Les mains sur les oreilles, il crie à tue-tête avant de se jeter par terre et de frapper le sol de toutes ses forces. Lorsque le calme revient, ses yeux s'ouvrent et prennent contact avec un homme campé sur ses jambes et armé d'un bâton en bois franc. Une voix lui parle. « Ta mère est une pute, et toi, tu es le fruit d'une pute. »

Bok s'élance et le frappe à l'avant-bras, avant de lui enfoncer la pointe de son bâton dans l'estomac. Mettre le diable à sa main sans lui briser tous les os du corps exige dextérité et précision. Ce genre d'exercice lui plaît particulièrement.

Après quatre jours d'entraînement, Yankee, accoutré de la cape et du haut-de-forme, est prêt à être ridiculisé, humilié et battu par une foule trop heureuse de prendre sa revanche sur l'Occident.

# VI

– Il revient quand, l'étranger ?

– Je te le répète pour la dernière fois, il est reparti chez lui. Ne le cherche plus, réplique Minh, irrité.

Le village avait vite oublié Alx, et Minh voulait en faire autant, mais avec ses questions, le cadet de sa cousine le ramenait constamment sur la table.

La pêche était excellente depuis quelques semaines, en fait, depuis que NA15 les avait quittés. Sook le laissait tranquille et les prix au marché tenaient bon, rapportant aux pêcheurs une manne qui arrivait comme une bouffée d'air frais. Sa cousine souriait davantage et les enfants mangeaient mieux. Le petit, qui passait le plus clair de son temps cantonné dans un coin de la chambre où, il n'y a pas si longtemps, un garçon à l'allure bizarre souffrait, était le seul à ne pas partager cet enthousiasme.

•

Les nouvelles, bonnes comme mauvaises, voyagent vite dans cette contrée avide en commérage. La pêche est, paraît-il, exceptionnelle, et le bruit court que les dieux se montrent particulièrement généreux envers

Sook et les siens. Le petit village de Samho est traversé par la rumeur, chatouillant au passage l'oreille d'un parent de la famille. Celui qu'on appelle « le cousin » – on évite d'identifier la relation honteuse pour mieux s'en dissocier – est sans travail et d'une paresse exemplaire. Sa vie se passe entre les bancs du parc de Hŭngnam et de Samho, où il quémande du matin au soir en feignant mille et une afflictions. « Paraît que Minh est dans les parages. Faudrait bien lui rendre visite », se dit le cousin, dont l'estomac se met à gargoter.

•

Le sampan glisse dans la baie lorsque le vieillard aperçoit au bout du quai quelqu'un qui agite la main dans leur direction. Sook le reconnaît immédiatement. Dépassant ses semblables d'une bonne tête, l'homme est, pour ce peuple façonné par l'ordre et l'uniformité, une source intarissable de moquerie.

– De la belle visite t'attend, dit le vieux sur un ton railleur à Minh qui l'accompagne.

– Merde !

L'embarcation accoste doucement, au grand plaisir des enfants et au grand désarroi de Minh qui ne peut s'échapper.

– Cousin Minh, comment vas-tu ? demande le parent en affichant un sourire de colporteur.

– Je...

– Moi aussi, je suis très heureux de te revoir.

Le vieillard, qui s'affaire au gréement, rit dans sa barbe. Le cousin ne l'approche plus depuis que, tout jeune, il avait reçu un magistral coup de pied au derrière pour une histoire dont il ne se souvient plus du début, mais très bien de la fin.

– Laisse-moi t'aider à décharger tes caisses.

Donner un peu d'argent ne fera pas disparaître ce parasite, qui s'accroche et siphonne jusqu'à ce qu'il ne reste rien. Il se fait une place dans la charrette et commence à déblatérer des âneries qui n'intéressent personne.

À leur arrivée, Minh fait signe à l'un des enfants de prendre les devants et de prévenir sa cousine, qui le déteste encore plus que lui.

Elle l'accueille sans chaleur, ce qui ne le dérange pas le moins du monde. « Toujours aussi bien meublé ! » murmure-t-il à l'oreille de son hôte, qui ignore sa remarque et l'invite à se mettre à table. Minh mange en silence pendant que le cousin raconte l'histoire de sa vie, ponctuée de rencontres malheureuses et d'un mauvais sort chronique.

– J'allais presque l'oublier. La semaine dernière, j'ai assisté au plus désopilant des spectacles, du jamais vu. Tu devrais y emmener les garçons, ils aimeraient. Imagine, un dompteur ayant pour animal un sale petit Américain.

Minh lève les yeux si vite qu'il fait taire son invité.

– Va coucher les enfants, grogne-t-il à sa cousine. Je m'excuse, cousin, continue ton histoire, ajoute-t-il, appréhendant la suite.

Fier d'avoir enfin suscité l'intérêt de son hôte, le cousin repart de plus belle.

– Quel spectacle ! L'amuseur avait endossé un habit bleu et rouge avec une grosse étoile dans le dos. Il tenait en laisse, un Américain vêtu d'un collant pourpre et blanc, portant un haut-de-forme noir et une cape découpée dans un vieux drapeau des États-Unis. Le dompteur l'appelait Yankee et lui faisait faire toutes sortes d'imbécillités. Il se verse une autre tasse de thé vert avant de poursuivre. Ce crétin a recueilli un joli magot avec sa trouvaille. Il ramassait le pognon tandis que l'Américain prenait les coups. Minh conserve un calme stoïque, malgré son dégoût. Tu aurais dû voir la file qui attendait pour lui taper dessus. La grande Amérique en a pris toute une !

– Il est temps de partir, dit Minh, qui en a assez entendu.

– T'ai-je offensé ? demande le cousin, surpris par la réaction de son hôte qui garde un mutisme complet. Je connais le chemin. Remercie ta cousine de ma part.

*Il ne s'agit pas de NA15,* se dit Minh. *Votre existence cesse l'instant où vous franchissez la porte derrière laquelle se cachent les autorités gouvernementales. Le Bon Dieu lui-même serait incapable de vous retrouver.*

*Non, ce n'est pas possible, pas sans la bénédiction des hautes instances.*

Des petits doigts frôlent sa jambe et le font sursauter. Effarouché, le cadet de sa cousine retraite dans sa chambre. « Viens, petit, n'aie pas peur », chuchote Minh pour rassurer l'enfant, qui réapparaît dans l'embrasure, sans oser en franchir le seuil. « Allez, viens, viens t'asseoir sur moi. » Il finit par s'approcher. Minh passe la main dans l'épaisse chevelure du gamin qui se calme. Il n'y a pas si longtemps, NA15 était aussi petit que lui. Peut-être était-il aussi craintif devant les hommes. À part la couleur de ses cheveux et de sa peau, il était le même. Maintenant, il n'est plus.

– Ça te dirait d'aller pêcher demain ?

Assoupi, le petit ne répond pas.

Après avoir mis le bambin au lit, Minh s'assoit sur la galerie en compagnie d'un chat à la queue coupée. Il n'avait jamais réalisé à quel point il détestait sa vie. Il la détestait parce qu'elle était pourrie jusqu'à l'os, et cette pourriture, il l'avait acceptée sans dire un mot. Il avait tourné la tête devant la pourriture qui se passait sur le Médusa, il s'était tu devant la pourriture de son gouvernement, devant son beau-père qui le maltraitait, devant la guerre qui tuait inutilement. En acceptant cette pourriture, il avait choisi d'ignorer les cris et les pleurs.

Trois nuits de suite, il s'était retrouvé, en rêve, dans le ring au fond du Médusa. Tout autour, 127 soldats ; des rencontres fortuites qui avaient reçu une de ses balles dans la tête, scandaient son nom. C'était le choc chaque fois que tombait le rideau de velours noir le séparant de son adversaire. L'homme de l'autre côté, c'était lui, un lui dans une peau de Jésus et qui illuminait la pièce de son aura blanchâtre. Il respirait lentement, le visage triste et résigné comme s'il savait qu'on allait le sacrifier.

La première nuit, Minh le massacra pour sauver sa peau. Chaque coup, c'est à lui qu'il les donnait. Le sang qui coulait était le sien. Il avait eu si peur de mourir, qu'il se tua. La seconde nuit, c'est Alx qui fit le travail. Sans s'essouffler, il le frappa avec un bâton jusqu'à ce qu'il soit réduit en pulpe. Deux hommes aidés de pelles déposèrent les restes humains dans une boîte qu'ils amenèrent à Minh. Un autre suivait avec l'argent des paris.

La troisième nuit, il surmonta ses angoisses et refusa de se battre, malgré la voix qui décrivait dans le détail le supplice qui l'attendait. « Nous allons te crever les yeux avec un tournevis, nous allons mettre tes genoux en pièces avec un marteau. Nous allons ouvrir ton crâne et te garder vivant pendant des jours, pour que tu souffres, nous allons te briser les doigts un à un, avant de scier tes mains, nous allons... « Je ne tuerai pas cet homme ! cria Minh. Tuez-moi, si vous voulez, torturez-moi, mais je ne tuerai pas cet homme ! » Terrorisé à l'idée de souffrir, il se mit à pleurer en les voyant s'approcher, armés de marteaux, de scies et de perceuses.

C'est alors qu'une chose extraordinaire se produisit. Un lever de soleil lui apparut lorsqu'on lui ouvrit le crâne. La scie qui coupa ses bras fit émerger une maison au bord de la mer. Le marteau brisant ses côtes, un visage souriant. La perceuse apporta un vent chaud. Il ne sentait aucune douleur. Le sang mélangé aux organes qui explosaient sous les coups descendit le long de son corps comme une main qui effleure la peau. La mort était devenue possible, souhaitable même.

Il s'était réveillé en nage, le cœur battant à cent à l'heure, et avait dû allumer la petite lampe pour se convaincre qu'il avait bien rêvé. C'était un cauchemar, un arrangement désarticulé de l'esprit dont raffolent les psychiatres. Quelque chose avait cependant changé. Il n'avait plus peur, il ne tolérerait plus la pourriture.

•

Hommes et gréement finissent par montrer des signes de fatigue. Minh profite de l'occasion pour proposer ses services et se rendre à Hŭngnam.

– Il ne t'en coûtera rien. J'achèterai de quoi rapiécer le sampan et resterai chez Délectable. Je reviendrai dans trois jours.

– Tu perds ton temps avec cette vieille folle, peste Sook en lui remettant une liste.

Le lendemain, Minh, trop préoccupé pour s'en apercevoir, avale les kilomètres sans s'arrêter. Il avait trouvé un prétexte facile pour se rendre en ville, mais que ferait-il une fois sur place ? Comment trouver ce qui est arrivé à NA15 sans éveiller les soupçons ? À l'heure qu'il est, son corps est à moitié décomposé au fond d'un bois. Pourquoi chercher, alors ? *Parce qu'on ne tue pas en raison d'une couleur de peau,* répond une voix à l'intérieur de lui.

La camionnette s'engouffre dans la banlieue. Passant devant la décharge publique, Minh jette un coup d'œil distrait au dépotoir, sans se douter qu'à l'intérieur, un garçon attaché à un pieu dort, recroquevillé sur lui-même. Il arrive tôt au marché, ce qui lui permet d'acheter rapidement les pièces dont il a besoin, et ainsi se débarrasser de sa corvée, puis se rend chez Délectable, qui vit dans le seul quartier nanti de la ville. Cette femme, qu'il appelle affectueusement « ma tante », lui apporte une chaleur et une hospitalité qu'il n'a pas connue depuis l'enfance.

Elle reçoit avec joie le fils que le ciel lui a refusé. Le réchaud ne tarde pas à rougir et les casseroles, à s'entrechoquer. Assis à la table de la salle à manger, Minh regarde en souriant cette bonne femme bourrée d'énergie, et dont les manières lui rappellent celle qui l'a élevé.

– Il y a si longtemps que je ne t'ai pas vu. Ne me fais pas languir davantage. Comment vas-tu ? Tu es heureux ?

Elle le fixe intensément, comme un gamin que l'on fouille du regard.

– Pas de quoi se plaindre. La pêche est bonne et tout le monde est en santé.

– Et ton beau-père, toujours aussi grincheux ?

– Toujours. Rien ne le satisfait, pas même par les temps qui courent.

Elle hésite un instant avant de lui demander ce qui lui trotte dans la tête.

– Paraît que vous hébergez un jeune Occidental. Son silence confirme la rumeur. C'était donc vrai.

– Il est parti, répond Minh. Viens prendre le thé, j'ai des choses à te dire.

Le brouhaha s'arrête. Elle s'essuie les mains sur son tablier fleuri et va le rejoindre.

Midi sonne lorsque Minh prend congé de sa tante et descend la charmille qui sépare les nantis des pauvres. La coupure est nette et flagrante. À gauche, les enviés ; à droite, les envieux. Suivant l'humeur du vent, les effluves tantôt caressent, tantôt offensent les narines. L'allée aboutit dans une ruelle encastrée entre deux files d'échoppes qui s'entassent les unes sur les autres. Une pluie fine accentue l'odeur familière de remugle. Minh joint la cohue et se laisse emporter jusqu'à la grande place. Le chemin s'évase au bas d'une pente comme l'embouchure d'une rivière. La horde se disperse, trop heureuse d'avoir enfin un peu d'espace. De vieux haut-parleurs à la forme de tromblon accrochés à des poteaux crachent l'inlassable harangue du Parti populaire, tandis que les marchands ambulants annoncent leur camelote à bout de bras. Un enfant pourchassant un chevreau évadé bouscule Minh au passage. Il ressemble étrangement au cadet de sa cousine.

Une clameur suivie d'un éclat de rire collectif attire son attention. Il aperçoit à sa droite un attroupement formant des cercles concentriques autour de quelqu'un ou de quelque chose qui s'offre en spectacle. Il tente de s'en approcher, mais la vue de la foule lui coupe les jambes. « Cesse de t'énerver, grogne-t-il, ce n'est pas NA15. » De grosses gouttes s'accumulent sur son front. Pris de vertige, il repère un banc et s'y dirige à grandes enjambées. Une dame âgée le bat à l'arrivée. Elle lui adresse la parole, alors qu'il s'apprête à déguerpir.

– Assoyez-vous, il y a assez de place pour deux. Vous venez de loin ?

– Yŏnpo-ri.

– C'est loin. Vous aimez la ville ?

– Non.

– On y trouve de tout ici, du plus beau au plus laid. Elle montre du regard le rassemblement de curieux. Vous voyez ces gens ? Ils assistent à une représentation de marionnettes pour amuser les enfants. Minh pousse un soupir de soulagement. C'est une interprétation allégorique de la révolution. À la fin, ils demandent aux petits de chanter

*Dieu protège Kim Jong Il, notre père à tous.* Le Parti ne manque aucune occasion pour marquer le pas. Kim Jong Il, Kim Jong Il. Ce sont les premiers mots qu'on enseigne aux nouveau-nés. Je vous le dis, le futur ne sera que le prolongement d'un long et douloureux passé. Comment peut-il en être autrement ?

Elle avait perdu ses illusions après avoir sacrifié inutilement son homme et ses deux garçons dans une guerre dont la cause reste à ce jour nébuleuse. À l'enterrement du plus jeune, le dirigeant local du Parti lui avait serré les épaules en affichant un large sourire. Il lui avait exprimé la fierté qu'il ressentait devant ce dévouement, un dévouement qui serait un jour récompensé. Elle ne voulait pas de récompense, lui avait-elle répondu, elle voulait seulement ravoir son fils.

Son regard se tourne vers Minh qui fixe l'attroupement.

– Au nom de l'honneur et de la patrie, nous consentons aux pires cruautés, continue-t-elle. Hier, j'ai vu ici même un amuseur qui a troqué son ours contre un jeune Occidental. On dit qu'il est Américain. Je n'ai jamais assisté à pareille humiliation.

Minh baisse la tête comme un repentant à l'église. Il n'a plus la force de nier. Elle poursuit, mais il ne l'entend plus.

– Où se trouve cet amuseur ?

– Il se pointe chaque jour à deux heures, juste derrière la fontaine. Vous voyez ces gens assis sur la bordure tout près du monument ? Ils attendent son arrivée.

Le cuisinier salue la dame, avant de prendre congé. Elle lui souhaite bonne chance, à lui et aux descendants qu'il n'a pas eus et qu'il n'aura jamais.

Une cacophonie de cris et de rires précède la ribambelle d'enfants qui sort en trombe de la ruelle, annonçant le grand Bok. Les promeneurs se serrent près des boutiques pour faire place à l'amuseur qui pousse un chariot où repose une vieille malle en bois couverte du drapeau national. Coiffé d'un béret monté d'une fleur en plastique bleue, il porte un tee-shirt jaune serin sur lequel s'affiche en grosses lettres noires le mot « Bok », qu'encadre une paire de bretelles couleur pistache accrochée à sa salopette rouge.

Les mômes s'agglutinent derrière lui, formant un long cortège. Bok fait le tour de la fontaine d'un pas magistral, délimitant l'espace nécessaire à la représentation avant de s'arrêter et de laisser tomber lourdement sa marchandise. Il détache ensuite le drapeau pour s'en faire une pèlerine et grimpe sur le coffre. « Approchez, bonnes gens, venez voir un spectacle qui fera rire les jeunes et qui plaira aux vieux, venez assister à la victoire de notre grand pays sur l'Occident. » Après une courte pause, pour ajouter à l'effet dramatique, il descend de son piédestal. « J'espère qu'il sera à la hauteur », se dit Bok en s'inquiétant de la quantité de barbituriques administrée à Alx.

Il se tourne vers la grosse malle qui fait office de cercueil, et lève lentement le couvercle comme l'égyptologue devant son sarcophage. Le silence qui règne convient parfaitement à l'atmosphère. Les spectateurs des premières rangées s'étirent le cou pour entrevoir l'étrange bête. Bok ramasse son bâton et assène trois grands coups sur le côté de la boîte. Rien ne se passe. Il en redonne un autre avec une telle force qu'il effraie les enfants assis tout près. Une main osseuse, noircie par la crasse, apparaît et s'accroche au rebord avant de retomber. Bok plonge le bras dans le cercueil et extirpe sans ménagement la bête qui se montre dans toute sa splendeur. Une véritable loque humaine se tient debout, aussi droit que son corps abusé le lui permet, les bras en croix, souriant sottement au public qui l'applaudit.

Le stupéfiant amplifie à l'extrême les sons et les odeurs, tandis que le ciel et la terre forment une fresque kaléidoscopique aux couleurs folles.

Bok aide Yankee à descendre du chariot. Sa cape étoilée, son caleçon bleu souillé trois fois trop grand pour lui, son maillot jaune à moitié déchiré et sa vieille paire de bottes peintes en vert lime en font une déplorable caricature de bande dessinée. Une longue corde attachée à son collier de cuir pend entre ses jambes. La chaîne qui relie sa main droite à sa cheville n'est là que pour donner l'illusion, surtout aux petits, que la bête demeure imprévisible. Des aînés ayant trop bien connu l'époque des lynchages publics quittent les lieux. Les places laissées libres sont rapidement comblées.

Bok sort d'un sac de jute une bicyclette d'à peine 30 centimètres de hauteur. Il entoure la corde sur son poignet et frappe du bâton, ordonnant à Alx de monter sur le vélo et de se mettre à pédaler autour de la fontaine. Un autre coup lui signale de saluer la foule de son gibus. Le dompteur reste à quelques pas du garçon, tenant solidement la laisse pour mieux feindre le risque que son humain de foire représente. Il invite quelques gamins à prendre la corde qui traîne derrière, avant de poser discrètement le pied dessus et d'allonger Yankee sur le sol.

Les spectateurs s'éclatent à la vue des petits qui se sauvent comme des poules sans tête, tandis que la bicyclette continue seule son chemin. Sonné, Alx se relève, tombe de nouveau, puis se relève encore sous les applaudissements d'un public qui en redemande. Le supplice dure 36 minutes, culminant avec le truc de la « flamme américaine », qui consiste à mettre le feu à la cape de Yankee et à le laisser courir parmi la foule. L'amuseur en avait eu l'idée en trouvant une source importante de vieux drapeaux chez un antiquaire. Le barbiturique mélangé à la morphine stoppe toutes sensations immédiates de douleur. Le succès reste cependant mitigé. L'odeur de vêtements et de peau brûlés est parfois si répugnante que Bok doit passer lui-même le chapeau, au risque de perdre de l'argent.

La quête terminée, il sort d'un sac une paire de ciseaux et une carabine jouet en bois pendant qu'Alx attend sagement, assis sur la grosse caisse. Le dompteur se met à haranguer de nouveau la foule en levant les ciseaux vers le ciel. « Pour un misérable billet de 1000 wons, coupez vous-même une mèche de cheveux impériaux que vous pourrez montrer fièrement à vos amis. » Il montre ensuite l'arme fictive. « Pour 4000 wons, soyez photographié en grand vainqueur, le pied sur la tête du bourgeois. » Il sort enfin une tomate d'un sac en papier. « Pour 5000 wons, abattez l'Américain d'une tomate bien mûre. »

Il devenait de plus en plus difficile d'entourlouper les gens avec cette partie du spectacle. Alx était rendu pratiquement chauve, l'intéressé devait fournir son appareil photo et la plupart s'avéraient de bien mauvais lanceurs de tomates. À quelques occasions, Bok avait dû tirer lui-même le fruit afin de prouver qu'il était possible d'atteindre la cible.

La collecte du jour se bonifie grâce à l'argent de trois participants qui s'en prennent à sa chevelure, et par un couple fortuné qui achète une tomate pour leur petit de trois ans. Après plusieurs essais infructueux, Bok doit faire le travail lui-même, faisant éclater le fruit entre les yeux de Yankee.

Oublié dans un coin, Minh ne manque rien de la représentation. Un sentiment d'une violence qu'il n'a jamais connue depuis la guerre monte en lui et cimente son désir de ne pas en rester là.

L'amuseur remballe ses choses dès qu'il a la certitude qu'aucun autre marché ne lui sera proposé. Il soulève Alx et le jette dans le cercueil comme on le ferait avec un jouet, puis s'engouffre dans la ruelle en poussant son chariot, tandis que les enfants continuent à bourdonner autour de lui. Minh se met à le suivre en gardant ses distances.

Arrivée à la décharge, Bok fait déguerpir les marmots en les menaçant de libérer le diable. Caché derrière un monticule, Minh aperçoit l'amuseur qui tire le garçon au bout de sa corde comme s'il s'agissait d'une chèvre. Il ne prend pas la peine de ralentir lorsqu'Alx tombe, le traînant dans la poussière pendant qu'il s'étouffe. Après l'avoir attaché à son pieu, Bok remplit la gamelle d'eau et regagne son taudis. Alx finit par ramper jusqu'à son refuge, alors que descend la fraîcheur du crépuscule.

Minh fixe longuement l'endroit où plus rien ne bouge, avant de se laisser glisser jusqu'au bas de la pente. Il peine à croire qu'à l'intérieur de cet amas de tôle et de boue se cache un être humain.

# VII

L'obscurité a pris possession des lieux depuis plusieurs heures, lorsque Minh commence à étirer ses muscles ankylosés. Il avait peu dormi, trop préoccupé par le fait qu'il s'apprêtait à commettre un crime passible de la peine de mort. Après avoir retiré une lampe de poche de son pantalon, il ferme les yeux une dernière fois afin d'intercéder auprès de son dieu, lui demandant de prendre soin de sa cousine et de ses enfants. La souffrance qu'on ne manquera pas d'infliger aux siens le tracasse plus que son trépas.

Il scrute les alentours avant de se diriger vers la niche. La forte odeur d'urine témoigne encore de la présence de l'ours. Après s'être mis à quatre pattes, il pénètre dans la tanière en tenant dans sa bouche la petite lumière qui ajoute un effet irréel à la scène. Une vieille bâche poisseuse monte et descend derrière un immense bol en fer blanc. Minh la tire avec précaution, découvrant une chair entourée de guenille qui gît à moitié nue, le corps couvert de brûlures de cigarettes et de plaies suppurantes. Sa puanteur est telle qu'elle lui donne la nausée. Alx tourne la tête et cligne des yeux après avoir été vigoureusement secoué. Minh défait les liens et adosse sur un montant la pauvre épave qui, ne distinguant plus le jour de la nuit, le travail du repos, la nourriture de la drogue, sourit bêtement, la main crottée ouverte à la manière d'un gueux. Après l'avoir agrippé par les hardes, il le charge sur son épaule et file en direction de la butte. Alx manque de tomber à plusieurs reprises, mais son sauveteur tient bon.

Rendu au monticule, Minh le glisse dans un grand sac de jute, puis le replace sur son épaule et poursuit sa route. Tout est silencieux. Trop silencieux. Le garçon, qui ne bouge toujours pas, commence à l'inquiéter.

Habitué à transporter de lourds fardeaux sur des distances parfois considérables, Minh franchit sans s'arrêter le kilomètre qui le sépare de sa camionnette. Il allonge la grande poche dans la benne et la cache sous une toile. Après avoir enfilé sa salopette de travail, il prend le chemin vers le quartier prospère de Hŭngnam.

De faibles rayons de lumière commencent à empourprer le ciel lorsque Minh se gare devant le domicile. Transportant une petite caisse en bois remplie de poissons sur un lit de glace, il traverse la rue et disparaît derrière une porte qui s'ouvre.

– Entre vite, murmure Délectable. Tu as le garçon ?

– Il est dans la benne.

– Bien, bien. Amène-le, lui dit la vieille, la main sur la bouche.

– Tu n'ignores pas que c'est une offense grave que de cacher un étranger et que la peine est...

– Je sais, mon fils, interrompt-elle, je sais. Allez, va le chercher.

– Merci, merci de tout cœur.

Minh s'incline devant cette femme frêle et courageuse. Elle s'approche et porte ses lèvres sur la joue de Minh qui n'ose plus la regarder.

– Ne t'en fait pas, lui chuchote-t-elle à l'oreille, et ne doute pas de la noblesse de ton geste. Va le chercher maintenant.

Le sac ressemble à un gros traversin.

– Couche-le sur le canapé, ordonne-t-elle dès qu'il est à l'intérieur. Il doit être sale. Nous le laverons de la tête au pied.

Minh hésite avant d'ouvrir la poche.

– Est-il dangereux ? demande-t-elle, inquiète.

– Il ne peut faire de mal à une mouche. En fait, il est très mal en point, avertit Minh qui veut la préparer au pire.

Délectable en a assez entendu. Elle plonge ses mains dans le sac.

– Tire !

« Mon Dieu ! » L'infirmière à la retraite recule de quelques pas pour mieux évaluer l'ampleur des dégâts. Les atrocités ne lui font pas peur. Pendant la guerre, elle avait tenu la main de soldats à moitié déchiquetés qui râlaient en implorant la mort. Elle donne ses premiers ordres. « Va chercher mes ciseaux à la cuisine, ils sont dans le tiroir sous l'évier. Prends le plus gros chaudron accroché au mur du fond et fais bouillir de l'eau. Tu trouveras une couverture propre dans la commode au pied de mon lit. »

Alx est rapidement mis à nu. Des contusions et des escarres de différentes grandeurs ont laissé leurs traces, même sur ses parties intimes. Délectable passe la main sur le front meurtri d'Alx qui réagit en ouvrant les yeux. Ses pupilles dilatées la font brusquement reculer.

– Ma parole, cet enfant est complètement drogué, s'écrie-t-elle.

– Le narcotique doit être très puissant, commente Minh. Son corps ne ressent plus la douleur.

– Sa nuque est raide comme une planche. Soit il est atteint d'une méningite, ce que je doute, soit... Elle s'arrête en voyant ses yeux.

– Soit ?

– Je ne suis pas certaine. Délectable croit reconnaître les effets du Don du ciel. Il ne peut pas rester ici, ajoute-t-elle. J'ai une petite maison de campagne près d'Oro où nous serons à l'abri des curieux. Mais finissons d'abord de le laver. Nous prendrons ensuite une bouchée.

Midi venait de sonner lorsqu'Alx, déguisé en vieille rombière, sort par la cour arrière. L'accoutrement va parfaitement bien au garçon qui marche le dos courbé comme une centenaire, s'appuyant d'un côté sur Minh et de l'autre, sur Délectable.

Après l'avoir installé sur la banquette, ils prennent la route, empruntant un trajet peu fréquenté, afin d'éviter les nombreux barrages qui s'inscrivent dans la campagne d'intimidation du Parti. Le soleil cuit la tôle noire de la camionnette, en faisant un véritable four. Minh suit la file de voitures pendant que Délectable presse une serviette remplie de cubes de glace sur le cou d'Alx afin de prévenir un infarctus. Plusieurs années auparavant, elle avait assisté aux derniers jours d'un soldat qui, après avoir vécu toutes les horreurs, s'était réfugié dans le Don du ciel. C'est le cœur qui avait lâché le premier. Le certificat de décès faisait mention d'une malformation congénitale, ce qui avait consolé la famille. Délectable se souvient des yeux du militaire, dont le blanc n'était ensanglanté que sur la moitié inférieure de la surface. La ligne de démarcation était tranchée au couteau. Elle n'avait jamais revu de pareils yeux. Enfin jamais, jusqu'à aujourd'hui.

Le trajet se fait en silence, chacun perdu dans ses pensées. Minh se demande de quoi vivra sa cousine, et au déshonneur qui rejaillira sur elle et son beau-père s'il se fait prendre. Délectable, qui a joui d'une longue et heureuse vie, assombrie seulement par l'absence de progéniture, ne partage pas les mêmes angoisses. Elle sourit en pensant à son mari et à l'anniversaire de son décès, il y a de cela huit ans aujourd'hui. Ses valises sont prêtes depuis longtemps et elle sait ses jours comptés.

« Prends la fourche à gauche et arrête-toi devant la barrière », dit-elle à Minh en sortant une vieille clé de son porte-monnaie. Le camion traverse ensuite un ponceau, puis manœuvre entre les pierres et les trous sculptés par la mousson. Ils arrivent finalement en face d'une maisonnette bordée d'un épais fourré. « La porte n'a pas de serrure. Entre et assure-toi qu'il n'y a personne », chuchote-t-elle. Minh revient quelques minutes plus tard. La chaumière est vide.

« Il va devenir imprévisible, peut-être même dangereux. Faut lui faire une place et l'attacher solidement, dit-elle à Minh. Il y a un vieux poulailler à l'arrière et des outils sous le portique. Fait de ton mieux pour solidifier la construction ; moi, je m'occupe de lui. »

Le poulailler est dans un si piteux état qu'il ne le reconnaît pas immédiatement. Sa tante s'imagine sans doute l'endroit tel qu'elle l'a laissé, il y a des années. Il se met à la tâche, sarclant les longues herbes, arrachant les planches couvertes d'usnées, coupant les lianes qui tiennent la bâtisse captive.

L'après-midi tire à sa fin lorsqu'il rentre dans la maisonnette, en nage et souillé de terre. Une serviette blanche soigneusement pliée et un savon placé à côté d'une cuvette d'eau chaude, l'attendent. Après avoir fait sa toilette, il rejoint sa tante dans le salon. L'inquiétude se lit sur son visage. Alx devient de plus en plus agité. Luttant contre son propre corps pour y échapper comme s'il était prisonnier des flammes, il écume abondamment et sa respiration devient de plus en plus saccadée. Elle n'arrive plus à le maîtriser.

– Les appartements de monsieur sont-ils prêts ? demande Délectable, les mains posées sur les épaules d'Alx.

– Ils sont prêts, répond Minh, appréciant cette légèreté dans la façon de dire et de faire les choses. *C'est peut-être là son secret,* pense-t-il. *Comment peut-on survivre aux atrocités de la guerre sans perdre la tête ?*

Alx se met à trembler, alors que le thermomètre indique un dangereux 40 degrés. Délectable l'enroule dans une couverture de laine. Minh le prend dans ses bras et l'amène dans l'enclos avant de le coucher sur un sac de jute rempli d'herbes. Ils s'arrêtent quelques instants, profitant des derniers rayons de lumière pour regarder son visage de plus près. Ses traits ont disparu sous l'enflure et les hématomes. Du sang séché apparaît à la base de son nez et sur ses lèvres gercées. « Attache-le, bras et jambes écartées. Entoure bien ses poignets et ses chevilles de chiffons pour qu'il ne se blesse pas. Bande-lui ensuite les yeux et assure-toi qu'il n'y ait aucun objet à proximité, ordonne-t-elle. Le diable en personne habitera bientôt ce corps. »

•

Une forêt lui apparaît, obscure et menaçante. Les branches des arbres battent dans la tempête, bien qu'il n'y ait aucun vent. Des troncs morts gisent çà et là en travers d'un sentier sombre et boueux. Une lumière blafarde venue de nulle part éclaire la scène en tirant des ombres. Il n'y a pourtant pas de lune dans ce ciel sans étoiles et sans nuages.

Alx s'engage sur la piste bordée de pierres rondes. La sente, qui fait une ligne parfaite, courbe soudainement vers la gauche, puis vers la droite, changeant de direction à chaque pas. Incapable de contourner un chêne couché sur son flanc, il se retourne et fige en apercevant le néant. Le tronc monte et descend lentement, mû par une sorte de respiration. Le bois se fend tout à coup sur toute la longueur pour former une bouche qui se met à râler. « Allez, monte sur ta bicyclette et je te donnerai ce que tu cherches. Laisse-toi frapper et je te donnerai ce que tu cherches. Ne bouge pas et je te donnerai ce que tu cherches. »

Alors qu'il écoute, stupéfait, une main invisible vient le gifler. Le sang gicle de ses lèvres et de son nez. Une étrange force presse au même moment contre sa gorge, serrant de plus en plus. Quelque chose lui brûle le dos et la base du cou. Alx cherche à se protéger, à crier, mais ses membres refusent de bouger et sa bouche reste muette. « Laisse-toi faire », répète la voix, « laisse-toi faire et je te donnerai ce que tu cherches ».

Il finit par obéir et cesse de résister. L'agression s'arrête et la douleur s'estompe.

À peine a-t-il le temps de reprendre son souffle qu'un craquement se fait entendre à sa droite, derrière une clairière. Quelque chose s'approche. Un animal renifle. Le grognement qui suit cause un véritable tremblement de terre. L'écho, qui se réverbère sur les montagnes avoisinantes, ressemble à une sorte de rugissement préhistorique. La bête se remet en marche. Le bruit s'amplifie, comme si la forêt entière se couchait sous ses pas.

Attaché à une croix invisible, Alx fixe l'endroit, les yeux écarquillés par la peur. Deux grands arbres s'écartent juste derrière l'éclaircie. Une immense bosse noire monte au-dessus des bosquets pour aussitôt disparaître. Les buissons délimitant la clairière commencent à frémir. Alx cesse de respirer. La lumière absurde continue à projeter l'ombre d'objets qui n'existent pas.

L'animal aplatit ce qui reste d'obstacle, laissant à sa traîne un sillon de près de trois mètres de large. C'est alors que l'ours apparaît dans toute sa grandeur. Il est complètement démesuré. Son crâne à lui seul a la taille d'une petite voiture. Il hume l'air en balançant son énorme museau de gauche à droite, puis se lève sur ses pattes de derrière pour mieux flairer les alentours. Une onde de choc se propage lorsqu'il retombe.

L'ours reprend sa route, les narines alignées sur la senteur qu'il poursuit. Alx, dont le corps refuse d'obéir, est horrifié. L'incroyable masse continue à s'avancer dans sa direction. Après s'être arrêté à moins de dix mètres, l'animal commence à s'agiter en poussant des grognements. Le miasme putride qu'il exhale a quelque chose de familier. Il s'approche d'Alx, tourne la tête de côté et ouvre sa large gueule, exhibant ses carnassières grosses comme des avant-bras et dégoulinantes de viande en décomposition. La puissante mâchoire se ferme sur ses jambes. Il entend son fémur se briser, puis se détacher de son bassin. La moitié de son corps disparaît, tranchée nette, alors qu'il se met à vomir.

« Non ! Minh ! Non ! Il ne faut pas intervenir. Le venin doit d'abord être purgé avant que nous puissions faire quoi que ce soit », dit Délectable en le retenant par la manche. « Sois patient, mon enfant. » De la fenêtre de la cuisine, ils suivent les convulsions avec une lampe de poche. Il est 11 heures du soir.

Le lendemain à l'aube, la porte arrière s'ouvre en crissant comme si on venait de la déranger. Minh se montre à l'extérieur et fait déguerpir trois gros oiseaux noirs du poulailler. « Attends-moi, j'arrive », lance Délectable de la cuisine. Elle lui tend une serviette humide et une autre sèche, avant de prendre son bras.

« Il dort ou il est mort ! » murmure-t-elle. Les lambeaux qui entourent ses poignets sont tachetés de rose. Ses bras et ses jambes, encavés dans la terre, témoignent d'une épouvantable nuit. Délectable s'agenouille, puis soulève lentement la tête d'Alx pour lui enlever son bandeau. Elle remarque au coin de l'œil de fines lignes de boue qui descendent le long de sa joue. Des larmes. « Détache-le et adosse-le contre la clôture. De gré ou de force, il doit boire et manger. Désinfecte ses poignets et bande-les solidement. Je m'occupe de le nourrir. » Aidée d'un petit entonnoir, elle force dans sa gorge un demi-litre d'eau enrichie de quelques herbes médicinales. La longue bataille ne fait que commencer.

Minh prépare son départ alors que la journée tire à sa fin.

– Ne t'inquiète pas, mon garçon. J'ai tout ce qu'il me faut, lui dit Délectable en lui remettant un papier plié en quatre. Tu croiseras une fermette à ta droite, où vit un couple de vieux. Donne-leur cette note. Ces gens sont discrets et m'aideront.

– Tu ne peux pas rester seule, réplique Minh, qui n'a cependant pas d'autre choix.

Elle le pousse vers le camion.

– Il est tard. Va, mon fils, et fais bonne route.

Minh part à contrecœur en promettant de revenir bientôt. Délectable reste dehors jusqu'à ce que le bruit du véhicule s'estompe. Elle vérifie une dernière fois les attaches d'Alx avant de rentrer. Derrière l'enclos, un corbeau arpente l'endroit comme un croque-mort mesurant son prochain client.

Les jours suivants sont tout aussi terribles, tant pour Délectable qui ne dort plus, que pour Alx, qui gagne en vigueur et en folie. Heureusement, comme la plupart des habitants de la côte, elle sait faire de bons nœuds.

•

Le soleil de ce 7 avril 1985 se présente sous un mur de grisaille. Dans les coulisses, on prépare une rencontre au sommet entre le nouveau président de l'Union soviétique, Mikhaïl Gorbatchev et son homologue américain, Ronald Reagan. Au cinéma, le film *Out of Africa* fait un tabac. Chacun à leur façon, les membres de la famille Stanlie se remémorent le triste anniversaire de la disparition d'Alx. Marie-Louise passe l'après-midi dans sa chambre à feuilleter ses albums photo, tandis que Lulu regarde la télé en silence. À ce jour, ni les longues conversations avec le psychologue de l'école ni les efforts soutenus de sa mère n'ont réussi à ébranler sa conviction. Elle demeure persuadée que son frère reviendra à la maison. Ce n'est qu'une question de temps.

Dehors, le vieux Cléo arpente la plage en pestant contre le froid qui lui gèle les pieds, les mains et tout ce qui est entre les deux. Il ne partira pas avant d'avoir reçu un signe d'en haut qui lui dira si oui ou non, le muet de l'Anse-aux-Bernaches est encore vivant.

•

De retour au village, Minh se distrait en bricolant et en pêchant avec son beau-père. Les nouvelles qu'il attend arrivent deux semaines plus tard, alors qu'il remonte la côte et aperçoit un gamin lui barrant la route avec une enveloppe. Après s'être assuré d'être seul, il ouvre la lettre.

Cher fils,

La santé de la petite chèvre s'améliore de jour en jour. Elle boit maintenant sans aide. Je dois cependant l'assister pour manger.

Nous faisons tous les jours de courtes marches autour de la maisonnette. Ses pattes, encore fragiles, se renforcent peu à peu.

J'ai joint son propriétaire la semaine dernière et il attend son retour avec impatience.

Je profiterai du Festival des fleurs pour la ramener à son maître. Ton aide serait appréciée.

Ta tante qui t'aime

*Son maître ? Elle aurait donc trouvé un passeur pour le sortir du pays,* se dit Minh qui reprend sa route, enchanté par la nouvelle.

•

Le Festival des fleurs est un évènement couru dans tout le pays. Ce peuple de jardiniers ne manque jamais une occasion pour étaler son savoir-faire horticole. Les villages environnants se livrent chaque année une chaude lutte pour gagner l'un des nombreux prix. C'est cependant à Hŭngnam que les plus beaux spécimens se mesurent pour obtenir les titres les plus convoités.

La foule d'amateurs a déjà pris la ville d'assaut, rendant la circulation difficile, lorsque la camionnette arrive à la grande place. Habillé en paysan et la tête cachée sous un large chapeau de paille, Alx dort, appuyé contre l'épaule de Délectable. Derrière son volant, Minh suit la file en scrutant les parages. Il cale sa casquette, puis tourne à droite en apercevant un mendiant qui cherche à vendre de vieux drapeaux américains aux piétons. Le clochard porte un tee-shirt jaune usé sur lequel on peut encore deviner le mot *Bok*.

Une voisine venue matin et soir pour ouvrir et fermer les rideaux pendant l'absence de Délectable, a laissé, dans une coupe remplie de fruits frais, une petite enveloppe trouvée la veille au pied de la porte. Elle la lit à voix haute. « J'espère que tu as fait un bon séjour à Oro. Je passerai chez toi demain matin à six heures. Kim » Elle prend les devants et répond à la question que s'apprête à poser Minh. « Kim Choon-shik et mon mari étaient de grands amis. Ils ont fait connaissance dans une ferme communautaire il y a plus de 30 ans. Ces deux idiots partageaient la passion des échecs, passant des heures à jouer à ce jeu ridicule. Kim a perdu un véritable frère à la mort de mon époux. Il a fait le serment sur sa tombe de s'occuper de moi comme d'une épouse. » La vieille qui, pourtant, n'avait jamais succombé à ses avances, rougit malgré tout. Cela n'avait pas d'importance, surtout depuis la nouvelle, une nouvelle apprise il y a quelques semaines à peine lors d'une visite de routine chez son médecin, et dont elle comptait bien garder le secret. « C'est incurable et vous êtes en phase terminale, lui avait annoncé sans ambages, le docteur. Venez me voir lorsque la douleur sera intolérable, je vous donnerai quelque chose pour vous soulager. » On parlait de mois, pas d'années, avait-il ajouté sans qu'elle le lui demande. Délectable était sortie du cabinet en le remerciant avec une boîte de petits gâteaux.

Aujourd'hui encore, Kim soutient que son célibat est une affaire de choix. Seule Délectable connaît la vérité. Il est tombé amoureux d'elle le jour de leur première rencontre, et la flamme ne s'est jamais éteinte. « Je serai à toi une fois le garçon rentré à la maison, saint et sauf », lui a-t-elle déclaré au téléphone. À cet âge, « être à toi » prend une signification beaucoup plus mesurée, mais elle compte bien tenir son engagement. Cuisiner la rend heureuse et Kim est un homme qui apprécie les bons repas. Avec un peu de chance, ils partageront un dernier printemps.

•

Le lendemain matin, après une bonne nuit de sommeil, Minh rejoint Délectable qui besogne à la cuisine depuis les petites heures. Il avale quelques biscottes accompagnées de thé vert, puis va chercher Alx qui s'installe sur un tabouret près de l'évier. La vieille dame emplit une cuvette d'eau chaude, ramasse la savonnette et se met à lui frotter énergiquement le visage. Minh admire en silence cette mère naturelle dont le nid resté vide, couve un autre oisillon abandonné.

Alx prend peu à peu conscience de ce qui lui est arrivé. Si l'image de l'amuseur demeure floue, la force de ses cris et la brutalité de ses coups restent vives et claires. Chaque nuit, une voix lui susurrait la séduisante rengaine : « Laisse-toi faire et je te donnerai ce que tu cherches. » Assise sur le bord du lit, Délectable veillait au grain, le réveillant dès qu'il s'approchait de l'abysse.

Le déjeuner est sur la table lorsqu'entre Kim. Il fait la bise à Délectable, puis s'engage dans une conversation animée qu'il suspend de temps à autre pour regarder Alx. Après un dernier grognement, il se croise les bras et attend la suite. Pressant ses mains toutes menues sur les épaules d'Alx, elle le pousse vers Kim qui s'avance et s'incline.

Minh fait trois allers-retours entre la maison et la grosse voiture, les bras remplis de vêtements et de nourriture. Alx comprend alors qu'on prépare son départ. Des larmes commencent à couler sur le visage de Délectable qui disparaît pour faire sa toilette, pendant que Kim vide le reste de son thé dans l'évier et retourne à son véhicule, laissant le garçon en compagnie de Minh qui le regarde intensément.

Il ne reverra plus NA15, c'est écrit sur une page de son livre de vie, là où se gravent les moments charnières dont on a particulièrement conscience parce qu'ils portent en leur sein une indiscutable finalité. Toute sa vie, il a voulu déjouer ce livre en croyant à l'absurde, au bonheur et à l'amour. Il n'est pas un loup solitaire, comme le croit l'équipage. En fait, la solitude lui pèse plus que tout. Elle lui a toujours pesé. L'homme avec qui il aurait tant voulu partager les levers et les couchers de soleil ne s'est pas présenté. Et puisque tous les chemins mènent à l'enfer, autant s'y rendre d'un bon pas.

La série de nuits cauchemardesques où, pour se sauver, il avait sacrifié le meilleur de lui-même, n'a pas eu de suite. Il tient ses peurs à distance comme un dompteur avec son fouet, sachant qu'à la moindre distraction, la moindre faiblesse, il risque de rentrer dans les rangs et de retourner dans la pourriture.

La culpabilité se hâte toujours vers son antithèse, le châtiment. Délectable se prépare à sauver une âme. Lui, c'est le monde qu'il sauvera, rien de moins. Ces fous qui concoctent la Troisième Guerre mondiale dans les cales du Médusa doivent être arrêtés et pour ce faire, il lui faudra ajouter une quarantaine de morts à sa conscience, incluant la sienne.

L'équipage d'un navire néglige facilement l'importance du cuisinier. Ses préparations peuvent aussi bien nourrir que ronger les entrailles. Tous seront invités au grand festin. Les absents seront éliminés au pistolet.

*Mais d'abord, aider le garçon,* se dit Minh en prenant une profonde respiration. Il entraîne Alx dans le jardin et lui fait signe de s'asseoir. « Minh donner *vòng tay, xuyến*[1] à toi, chuchote-t-il à son oreille. Montrer *vòng tay, xuyến* au Vietnam. Pas en Corée. Corée pas bon. » Ses mots trébuchent. Alx le regarde sans comprendre pendant qu'il pose un pied sur le banc et soulève le bas de son pantalon. « *Vòng tay, xuyến! Vòng tay, xuyến!* » répète Minh en pointant frénétiquement une petite gourmette autour de sa cheville et sur laquelle pend une amulette.

1. Bracelet.

Il détache la chaînette et la dépose dans le creux de sa main pour lui montrer. « Famille Minh. Très bon. Montrer au Vietnam. Pas en Corée. » Il le fait presque basculer en lui agrippant la jambe. Après lui avoir enlevé sa botte, Minh joint les extrémités du bijou autour de sa cheville gauche.

Délectable le fait sursauter.

– Qu'est-ce que tu fais, mon fils ?

– L'étranger clopine. J'ai vérifié l'état de ses pieds.

– Tu es bon et généreux. J'espère que tu trouveras bientôt la paix.

Elle sent son tourment, comme un animal flaire la tempête. Minh lui serre la main en se mordant les lèvres. Il touchait Délectable pour la dernière fois.

Alx se lève et s'approche de sa bienfaitrice qui pleure à chaudes larmes. Il la prend dans ses bras en collant sa joue sur sa peau humide pour mieux s'imprégner de son odeur. Après une profonde respiration, elle retrouve son aplomb, défait l'étreinte et prend le visage du garçon entre ses mains pour lui chuchoter des mots destinés à son cœur. Elle l'embrasse une dernière fois sur le front et rentre dans la maison sans se retourner. Minh ramasse le cabas rempli de fruits frais et raccompagne NA15 à la voiture.

# VIII

Kim Choon-shik est un homme au souffle court qui transpire continuellement. Sa nature corpulente contribue à le marginaliser, tout comme sa profession de comptable, que l'on imagine être l'apanage du petit maigrelet à lunettes. Derrière ce crâne épais se cache une intelligence supérieure et toujours aussi vive malgré ses 67 ans. Si ses aptitudes pour les mathématiques sont reconnues, son talent du côté des langues, des algorithmes de décryptage et de la chimie des explosifs demeurent, eux, un secret bien gardé.

À une certaine époque, son père, médecin et membre influent du Parti, avait tiré bon nombre de ficelles pour lui ouvrir la porte menant aux plus hautes fonctions. Kim s'était prêté pour un temps à la mascarade politique afin de rester dans les bonnes grâces de ceux qui voyaient en lui un futur chef. Son esprit libertaire finit cependant par irriter la grande confrérie qui vit d'un mauvais œil ses idées révolutionnaires. L'exercice se solda par un échec lamentable et humiliant. Il fit si peur qu'on jugea nécessaire de le rééduquer par trois années de labeur dans une exploitation agricole à Musan, près de la frontière chinoise.

Ce séjour, des plus formateur, changea sa vie à bien des égards. C'est à la ferme communautaire qu'il fit connaissance avec un homme qui l'introduisit au monde clandestin des dissidents du Parti et qui devint plus tard le mari de Délectable. Ils se joignirent à une organisation secrète composée de détracteurs chinois et nord-coréens qui se rencontraient tous les jeudis à la tombée de la nuit dans une maison abandonnée près des lignes. Son aventure à la coopérative se termina abruptement lorsqu'il fut réassigné à une aciérie en banlieue de Hŭngnam, où il bossa jusqu'à sa retraite.

•

Pyongyang montre enfin son visage quelques heures plus tard. La ville natale du Grand Bienfaiteur, le généralissime Kim Il Sung, ploie sous les guirlandes et les statues à son effigie. La circulation ralentit à l'approche du pont Okryu, où les cyclo-pousses chargés pêle-mêle de volailles, de journaux et de casseroles font fi des automobiles qui louvoient pour les éviter.

Kim se gare quelques minutes plus tard derrière l'hôtel Haebangsan et fait signe à Alx de l'attendre avant de franchir les portes du vestibule qui s'ouvre sur d'immenses lustres parés de verroterie colorée, de pots à fleurs grands comme des baignoires et d'un tapis bleu ciel qui n'en finit plus de s'étendre.

Ce luxueux pied-à-terre apprécié des membres influents du Parti, ceux-là mêmes qui dénoncent les dangers du capitalisme, n'est qu'une des nombreuses aberrations du pays.

Il s'approche du comptoir où s'affaire un homme âgé, vêtu d'un smoking noir fermé au col par un nœud papillon cramoisi. Les mains jointes à la manière d'un moine tibétain, il sourit au visiteur. « Camarade, je suis ici en mission à titre de représentant du Parti du peuple. J'accompagne le fils d'un diplomate russe de passage dans notre beau pays. Nous avons besoin d'une chambre avec deux lits. » Le réceptionniste s'incline jusqu'à ce que son front embrasse le comptoir de marbre, puis remplit le formulaire.

Kim retourne à son véhicule et explique par la gestuelle à Alx, qu'ils s'arrêteront ici pour la nuit. Après avoir ouvert les persiennes de la chambrette, il approche une chaise de la fenêtre et l'offre au garçon. La vue est saisissante. Devant lui coule la rivière Taedong, bondée de péniches qui se croisent avec une étonnante précision. Agrippés au cordage et accroupis pour ne pas perdre l'équilibre, hommes, femmes et enfants répondent aux salutations des riverains. Des générations entières naissent et meurent sur ces habitations flottantes, sans jamais toucher terre.

Kim pointe à sa gauche la *Grande maison des études du peuple* avec son toit recourbé, puis le *Théâtre populaire,* qui ressemble à une casquette surmontée d'une clé de sol. Juste derrière se cache le *Musée de la révolution*. Tous ces lieux fréquentés par l'intelligentsia lui sont familiers et il ne manque jamais une occasion de s'y rendre. Il fait comprendre à Alx qu'il doit aller régler une affaire et qu'on viendra bientôt lui apporter à manger. Il lui montre le chiffre quatre sur sa montre avant de laisser le garçon dont le regard s'est déjà retourné vers la fenêtre.

Passé la *Tour de la libération,* Kim traverse la *Place Kim Il Sung* pour ensuite bifurquer vers l'*Université nationale d'économie,* son alma mater qu'il visite de temps à autre comme un fils au cimetière, payant aux siens le respect qui s'impose. Il se dirige vers la grande salle communautaire pour consulter les babillards étudiants. Le premier carré de liège, couvert de bouts de papier multicolores, annonce des offres d'achat, de vente et de service de toutes sortes. On y trouve même, pour qui sait les déchiffrer, des invitations à des rencontres homosexuelles.

Les deux tableaux d'affichage suivants sont contrôlés par le Parti. Quiconque se fait prendre à retirer ou à épingler quoi que ce soit se mérite un aller simple dans un centre de rééducation. La première section est divisée en deux parties. Celle de gauche, baptisée « Confession », exhibe des lettres sur lesquelles on peut lire les aveux des pénitents de la voie erronée. Celle de droite, appelée « Invitation », contient des billets dénonciateurs, jamais signés et écrits à la sauvette par des mouchards jaloux ou revanchards.

Le second tableau est consacré aux informations venant de l'étranger. On y retrouve des extraits épurés d'articles de journaux et de magazines soutenus par des photographies peu flatteuses de chefs d'État. Le vieux portrait du président américain en tenue militaire, criant comme un déchaîné, est plutôt réussi. Plus bas se trouvent les avis de recherche internationaux. Quelqu'un avait dessiné des seins sur la blouse d'une Slovaque et une moustache à deux Hollandais en chemise orange. *Comment pouvait-on perdre la trace de personnes qui se démarquent dans la foule comme un luminaire dans la noirceur?* se demande Kim avant de se rendre dans la pièce adjacente, réservée aux divertissements, où deux étudiants s'embrassent dans un coin. Il avait déjà fait la même chose, des décennies auparavant, presque au même endroit, prouvant une fois de plus que l'amour et le risque forment un irrésistible cocktail. L'annonce qu'il cherche est au centre. L'écriture est à peine visible. « Dominos. Pour joueurs sérieux seulement. Tous les jours, *Palais central de la jeunesse*. Demandez Chang. »

Il remonte le parc qui longe un bâtiment où des hommes assis autour de petites tables pliantes s'exercent aux dominos. Les joueurs le suivent du coin de l'œil, feignant de ne pas l'avoir remarqué. Kim se décide et s'approche d'une table. Un individu accoutré en *docker* va à sa rencontre. Le comptable lui tend la main avant même d'être à sa portée. « Je cherche le camarade Chang », chuchote-t-il. L'homme au crâne rasé fait un signe de tête. Sa mâchoire proéminente avance et recule comme un tiroir, au rythme lent d'une chique qu'il travaille depuis le matin. Ses yeux se fixent sur son interlocuteur qui poursuit. « Je désire deux passages sur un navire en partance de Namp'o. » Le débardeur lui remet pour toute réponse, un domino et un bout de papier sur lequel sont inscrites l'adresse et l'heure du rendez-vous. Kim les enfouit dans sa poche et quitte l'endroit à grands pas.

•

Malgré la noirceur – il est quatre heures du matin – on peut distinguer la silhouette des grues géantes qui ressemblent à des mantes religieuses dont la tête menaçante fixe le quai. Au loin, des silos en béton s'alignent le long de la rive comme d'immenses boîtes de conserve. Kim gare sa voiture à l'endroit indiqué, tout près d'un cabanon en tôle. À travers la petite fenêtre, on peut voir un homme qui marche devant une lampe à l'huile, la faisant clignoter avec la régularité d'un métronome.

La porte s'ouvre dans un léger crissement. Un individu vêtu d'un pantalon foncé, sur lequel pend un couteau d'une taille respectable, et d'un maillot de corps vert olive exposant des bras couverts de tatouages, apparaît. Il tend la main sans dire un mot. Kim y dépose le domino avec ses deux points blancs. Le passeur examine la pièce et se met à scruter les environs à la recherche de l'autre client. Il affiche un sourire en apercevant l'étranger qui les rejoint. La prime venait de doubler. Une fois l'argent bien compté, il les emmène dans la baraque, leur ordonne de s'asseoir en silence sur un banc de bois, puis souffle la lampe avant de sortir en verrouillant la porte à double tour.

Kim trouve le bras d'Alx et le tapote en chuchotant quelques mots pour le rassurer. Le débardeur revient une quinzaine de minutes plus tard avec deux vieux pardessus à capuchon qui empestent la sueur. Ils endossent les cottes et montent dans la benne d'un vieux Sungri où se serrent six manœuvres vêtus du même costume.

Le camion s'avance sur le quai en passant sous les grues qui les suivent du regard, puis s'arrête derrière la poupe d'un gigantesque vraquier. Une tête apparaît au-dessus du garde-fou. Debout sur une échelle, l'ombre fait signe aux hommes qui ramassent leur barda et s'amènent en file. Alx s'approche du bord en s'étirant le cou et aperçoit une jonque qui ballotte, cinq mètres plus bas. Avec son arrière relevé, ses grands mâts, ses larges voiles et son *dinghy* en laisse, elle ressemble à un lougre digne du capitaine Flint. Malgré sa dimension respectable, elle fait figure de jouet à côté du navire.

Chang monte sur le pont pour accueillir l'équipage. Il invite les deux passagers à le suivre dans sa cabine en forme de piano à queue, où de jolies sculptures en bois incrustées de pierres précieuses meublent une tablette qui en fait le pourtour. Une fumée d'encens s'échappe d'un vase en étain ciselé, installé à côté de coussins aux couleurs vives.

Les voiles se mettent à faseyer, aussitôt les amarres larguées. La jonque tangue, faisant grincer les mâts. Une fois au large, les hommes se débarrassent de leurs accoutrements pour redevenir les pirates qu'ils sont. Révolver à la ceinture, cartouchière à l'épaule, ils passent de brebis à loups. Certains portent en médaille des grenades accrochées à leurs poches de chemise.

Libérée de la protection des côtes, la mer peut enfin montrer ses vraies couleurs. Le roulis donne rapidement la nausée à Kim, dont le pied n'a rien de marin. Alx ne demande pas mieux que de sortir au grand vent. Son vœu est exaucé lorsque Chang les invite sur le pont. Le comptable décline l'offre, préférant la compagnie d'un traversin moelleux.

Le garçon fige à la vue des débardeurs convertis en mercenaires. Chang le rassure d'une tape sur l'épaule avant de le guider vers la proue où il braque son bras vers l'est. Alx regarde la mer en haussant les épaules.

Chang approche une petite table sur laquelle une carte tachée de nourriture et de cernes cherche à se libérer de ses attaches. Il pointe de son couteau la position actuelle et trace un arc de cercle qui s'arrête le long de la côte chinoise. « Weihai », dit-il. Alx réalise alors qu'il est en route vers l'Empire du Milieu.

# IX

La jonque tient bon malgré les assauts répétés des vagues qui la font tanguer parfois dangereusement. Reclus dans la cabine du capitaine, Kim se lie d'amitié avec deux bouteilles de rhum dénichées dans l'entrepont et avec lesquelles il partage des chansons grivoises et des éclats de rire.

Alx et Chang finissent par déserter l'endroit qui empeste l'alcool. Ils accrochent, derrière la dunette, deux hamacs fabriqués à partir de vieux filets de pêche et d'une toile de coton bleu pâle qui sert de pare-soleil. Enroulé dans une épaisse couverture, Alx disparaît comme un petit pois dans sa cosse, bercé par le vent du large qui siffle à travers les cordages.

À l'heure du repas, les hommes prennent un malin plaisir à voir le visage du garçon s'empourprer sous l'effet de la soupe, toujours la même, si épicée qu'elle lui fait des cloques dans la bouche. Heureusement, le reste du menu constitué principalement de féculents – pommes de terre, farine de blé mélangée dans la graisse de mouton, bouillie d'avoine et miche de pain – réussit à éteindre tant bien que mal le feu. Ces brigands des mers, condamnés à bourlinguer jusqu'à ce que la mort les réclame, s'attachent rapidement à Alx, lui trouvant quelque chose de familier. Comme eux, il n'est qu'un inconnu à la dérive, flottant sans direction et sans avenir. N'ayant qu'eux-mêmes comme seul héritage, ils s'estiment fortunés d'avoir au moins la richesse de la parole.

Kim sort finalement de son trou l'après-midi du troisième jour. Il semble dégrisé, malgré sa piètre mine. Son apparition surprend l'équipage, qui l'avait oublié. Au lieu du baratin habituel, les hommes ont droit à une retentissante éructation, suivie de l'explosion d'un dégueulis marron clair. Le mélange de bile et de cacahuètes macérées dans la gnôle se répand sur sa panse, dessinant une sorte de gouache en forme de larme. Il colle son menton à la rambarde, s'attendant à chaque spasme de voir son estomac passer par-dessus bord, tandis que l'on crie *Pang-tsé ! Pang-tsé !* « Kim le gros » vient d'être baptisé.

La dissolution du soleil derrière l'horizon donne lieu à un rituel quasi religieux où, l'heure venue, l'équipage se regroupe sur le gaillard d'avant et s'aligne vers l'astre qui enflamme la mer. La noirceur venue, on se met à papoter comme des ouailles sur le parvis de l'église, en s'arrachant le crachoir. Les histoires de femmes et d'argent se ressemblent toutes. La fraîche finit par ramener les hommes à la dunette, où se jouent d'interminables parties de *fan-tan,* ce jeu prisé des tripots et des bordels de Macao.

Chang invite Alx et Kim à se joindre à eux. La bicoque exiguë s'enfume, malgré les sabords ouverts à pleine grandeur. Alx voit pour la première fois une pipe à opium. L'espèce de poterie en forme d'œuf est chapeautée d'un couvercle de cuivre tarabiscoté d'où s'échappe un long tuyau à l'embouchure recourbée. Trois hommes se passent tour à tour le bec luisant de bave.

Assis sur le plancher, les joueurs s'entassent autour d'un amas de jetons. Chacun tient ses cartes serrées contre sa poitrine, lançant des pièces de plastique comme des bouts de bois dans un feu. On se regarde, on éclate de rire. Le ton fluctue au rythme des enchères. Ceux qui ne fument pas la plante magique grillent des cigarettes roulées à la main. Chang sort de sa poche de chemise un cigare écorné qu'il allume avec panache à l'aide d'un briquet serti de diamants. Il fait signe aux hommes de serrer les rangs avant de faire circuler une vieille tasse craquelée dans l'assistance. Chacun y dépose quelques jetons. Chang complète la collecte par une généreuse poignée puisée à même la mise, puis remet le contenant à Alx, assis à ses côtés. Kim ne bénéficie pas du même traitement et doit acheter ses propres pièces.

La partie reprend là où on l'a laissée. L'un d'eux, affichant un large sourire depuis un moment, jette trois rois au milieu du plancher en criant des obscénités. Les autres jeux tombent, accompagnés de blasphèmes libérateurs. Le gagnant ramasse le magot en faisant danser sa cigarette, calée à la commissure de sa bouche. On distribue de nouveau les cartes. Chang prend le jeu d'Alx et le place en éventail entre ses mains. « À toi de parler, Pang-tsé », dit-il à Kim, qui ajoute deux jetons rouges et un noir sur la pile. Trois autres suivent. Une fois le tour complété, Chang ordonne à Kim d'ouvrir son jeu. Un rire hébété sort de sa bouche. Il regarde son hôte pour lui rappeler que ce n'est pas de la monnaie de singe. Impassible, le capitaine le regarde, attendant qu'il s'exécute. Kim couche à contrecœur ses cartes avec le sentiment d'être ce pigeon qu'on prend plaisir à plumer. Les autres l'imitent, sans dire un mot. Alx est le seul à ne pas dévoiler son jeu. Après avoir examiné la main de chacun, Chang lui suggère un valet qu'il lance au centre. Les hommes suivent, sachant qu'ils n'ont aucune chance de gagner. Alx pointe la carte suivante à son instructeur, qui acquiesce d'un signe de tête. Le roi de cœur tombe. Kim et le reste de l'équipage déclarent forfait, pendant que Chang félicite le gagnant à grands coups de tapes dans le dos. Pour ajouter à l'injure, on oblige Kim à ramasser les jetons et à les déposer dans le gobelet du vainqueur.

Un verre d'alcool concocté par Lucifer en personne est placé devant Alx. Les hommes imitent le cul sec. Kim cache mal un petit rictus vengeur. Tous les yeux sont fixés sur le garçon. On s'attend à quelque chose. Alx prend le verre et le lève cérémonieusement vers son auditoire, puis vers le capitaine qui répond d'un clin d'œil. Le liquide ambre disparaît, sans autre façon. Quelques-uns gloussent, anticipant l'explosion. D'autres espèrent en silence. Alx dépose le petit récipient sans faire la moindre grimace, tandis que Chang se paie la tête de ses compagnons, les montrant un à un du doigt. Alx a conquis de nouveau l'assemblée. Évidemment, personne ne peut savoir que s'il n'a pas le pouvoir de parler, il a celui de contrôler sa déglutition. Il aurait pu ingurgiter de l'essence à briquet sans froncer les sourcils. Ses entrailles lui en feront payer le prix plus tard, mais pour l'instant, il est le centre d'attention et compte bien en profiter.

Cinq verres s'ajoutent au premier, au grand plaisir de Chang qui s'éclate à chaque cul sec. À la fin de la soirée, deux hommes plus solides que les autres agrippent Alx sous les bras et le traînent jusqu'à son hamac. Suivant derrière, Chang brandit comme un trophée un sac en plastique rempli de jetons.

•

Alx ne quitte son hamac que le lendemain après-midi. Profitant de l'accalmie, il fauche une vieille bâche trouée et va se blottir comme un chien battu dans un recoin du navire. Les verres de la veille ont rebroussé chemin en provoquant à chaque détour des vomissements dignes des plus grandes cuites, celles dont on ne se souvient pas, mais dont on entend parler le reste de sa vie.

Chang demande au cuisinier de préparer une potion d'après-veille, histoire de ramener son protégé du côté des vivants. Une heure plus tard, Alx, toujours recroquevillé sous sa bâche, reçoit un coup de pied dans les côtes. Il sort à peine la tête comme une tortue qui pointe le bout du nez hors de sa carapace pour apercevoir une sorte de chinetoque au crâne rasé frappant le rebord d'une gamelle fumante avec sa grosse cuillère en bois. Alx menace du poing le petit homme qui dépose l'écuelle et part sans demander son reste.

Le brouet aux reflets cuivrés dans lequel flottent çà et là des brindilles d'herbe dégage une odeur de camphre. Alx s'appuie contre un tonneau et approche le bol de sa bouche. Il ignore ses papilles gustatives et ingurgite ce qui semble être un onguent liquéfié pour traiter le mal de dos.

La recette maintes fois éprouvée fait son œuvre. Le lendemain à l'aube, Chang trouve Alx, enroulé dans sa bâche comme une statue inca, le regard fixé sur l'horizon. Il l'accompagne avant de rejoindre la dunette, où le sempiternel thé vert et le riz les attendent. Alx dévore son assiettée jusqu'au dernier grain. Chang ramasse une ration et, d'un signe de tête, lui propose de se rendre au gaillard d'arrière.

Ils ouvrent la porte sans faire de bruit. Kim dort à poings fermés, le visage enfoui entre deux coussins et le postérieur sorti comme un champignon géant. Il porte les mêmes vêtements depuis le départ, refusant de les enlever, même pour la nuit. Chang fait un clin d'œil espiègle en direction d'Alx avant de manœuvrer entre les objets épars. Il dépose l'assiette, puis décroche une casserole à fond plat et une grosse écuelle en bois qui dansaient au bout d'une corde. Après avoir regardé le garçon avec un sourire trahissant ses intentions, Chang approche la casserole à quelques centimètres des oreilles de sa victime et assène un coup magistral sur l'instrument de cuisine. Le cri de mort qui s'ensuit traverse le bateau. Dans la petite salle à manger, le cuisinier échappe sa théière et les hommes figent. L'équipage sursaute de nouveau lorsque les deux plaisantins font irruption en se tordant de rire.

•

Pour passer le temps, Alx chaparde un couteau à désosser à la cuisine et des bouts de bois qu'il transforme en figurines. Le cuistot, pour qui ses lames ont la valeur de bijoux de famille, ne tarde pas à trouver le voleur et à exiger qu'on le balance par-dessus bord. Chang doit intervenir avant que le cuisinier, examinant avec émotion le tranchant abîmé, ne se fasse justice. Il fait signe à Alx de le suivre dans la cale. Le couteau qu'avait pris le garçon ne convenait pas à un aventurier. Il lui fallait un poignard, un vrai. Mais d'abord, trouver le bon et ajuster la pesée. Pas trop léger pour qu'il traverse les cuirs les plus épais ni trop lourd pour qu'il soit possible de gagner sur l'adversaire les quelques fractions de seconde qui lui sauveront peut-être la vie. Il devra ensuite apprendre à s'en servir.

Ses hommes disent de Chang qu'à la naissance, il tenait son premier poignard dans une main et le sein de sa mère dans l'autre. C'est à lui qu'on demande conseil pour sélectionner une lame, et c'est lui qui fait les ajustements nécessaires. Il examine d'abord la main sous tous ses angles : la longueur des doigts, la forme de la paume, le mouvement des phalanges, la position du pouce lorsqu'il se referme, puis étudie les déplacements en attaque et la vitesse d'exécution du prétendant. Après avoir colligé les informations, il choisit l'arme et complète l'union. Sa collection personnelle en comprend plus d'une centaine, qu'il renouvelle constamment.

Il ouvre trois grosses malles où sont accrochés des poignards de différentes grandeurs. Ses yeux alternent entre l'aspirant et ses précieuses, cherchant la combinaison parfaite. Il en sélectionne une demi-douzaine qu'il pique dans un ordre déterminé sur une planche. « Prends », ordonne-t-il en pointant un premier poignard. Alx n'a jamais possédé d'arme blanche, si on exclut le canif reçu de son père, et qui ne tient pas la comparaison.

Chang lui apprend d'abord le combat au corps-à-corps et quelques trucs utiles pour désarmer son adversaire, puis passe au tir à la cible. Le premier exercice se fait sur un vieux tonneau en chêne, placé à cinq mètres. Alx ne fait que l'effleurer pendant que Chang choisit la planche sur laquelle planter son couteau. Deux heures plus tard, l'apprenti commence à atteindre son objectif. Entêté comme son père, il saute le dîner et continue ses attaques contre la petite barrique.

Assis dans la dunette, l'équipage mange en silence. Le *thomp* régulier que fait le poignard en s'enfonçant dans le barillet leur rappelle des jours sombres, des jours où, en pleine crise, leur capitaine les avait abandonnés pour lancer sans arrêt sa lame contre des tonneaux empilés les uns sur les autres. Les hommes évitèrent le gaillard d'avant pendant tout le temps que dura le saccage ponctué de cris, de pleurs et de hurlement. Le troisième jour, ils le virent entrer dans la dunette, le regard vide et les mains ensanglantées. Chang dormit jusqu'au lendemain et reprit le commandement dès son réveil, comme si de rien n'était. Pendant son sommeil, on nettoya le pont et passa par-dessus bord les bouteilles cassées et les tonneaux qu'il avait réduits en bouilli avec un gourdin. Ce n'était pas la première fois que cela arrivait, mais c'était la plus sévère et la plus longue débâcle du capitaine. Personne ne savait de quoi il s'agissait, mais au plus fort de sa démence, ses hommes l'avaient entendu prononcer le nom d'une femme et de celui qu'ils croyaient être un enfant.

Chang ordonne à Alx de prendre une pause et de vider son assiette, pendant que deux hommes empilent neuf barils sur trois rangées. À l'aide d'une craie et de quelques mots appris de passagers étrangers, il prépare le prochain exercice. C'est dans l'épreuve que le courage d'un homme se manifeste, et il n'y a pas de plus grande épreuve que celle de perdre ceux qu'on aime. Après avoir dessiné une tête de mort sur le baril du milieu, Chang donne la craie au garçon et lui dicte la position des principaux personnages : « papa », dit Chang, en pointant le baril à droite de l'ennemi. Alx hésite avant d'inscrire le nom de son père, mais finit par obéir devant l'insistance du capitaine. Vient ensuite « mama » à gauche, puis sur la ligne du bas, Lulu, accompagnée de son chat Tambour et d'Abraham, le labrador de son père. La rangée du haut est consacrée à deux professeurs et à un ami qu'il considérait.

Chang fait signe aux hommes de quitter le pont. Il sort son poignard et recule de cinq pas. Alx le regarde nerveusement, tandis qu'il lève le bras en tenant la pointe entre ses doigts. Il garde la pose pendant quelques secondes pour augmenter la tension, puis décoche son tir, atteignant Léon. Alx s'élance sur le baril, arrache le couteau et presse son pouce sur l'entaille, cherchant à arrêter un flot de sang qui n'existe pas. Le front collé sur la planche, il se met à pleurer. Chang s'approche avec une chandelle et le tire doucement par l'épaule. Après avoir couvert la petite brèche de cire chaude, il appuie le front à son tour contre la planche et demande pardon. Alx reste inconsolable. Chang reprend son poignard et recule à nouveau de cinq pas. Alx se précipite sur lui. Chang le fait tomber. Il revient à la charge, mais est arrêté de nouveau par un solide coup de jambe. Après avoir rengainé son arme, le capitaine l'aide à se relever. Il retire le poignard du fourreau d'Alx, et lui tend. Le garçon refuse de le prendre. À bout de patience, Chang l'agrippe d'une main et fait danser la lame de l'autre, se préparant à tuer de nouveau. Ses yeux fixés sur Alx qui ne bouge toujours pas, demandent, exigent qu'il se tienne debout et affronte la mort. Son bras se lève, prêt à faire feu. Alx reste toujours figé comme un animal paralysé par la peur. Indigné, Chang lâche prise, plante le couteau dans le mur arrière et quitte le pont sans se retourner.

*Thomp*!... *Thomp*!... *Thomp*!... Chang regarde sa montre. Deux heures se sont écoulées avant que le bruit de la lame pénétrant le bois ne se fasse réentendre. Il défend à ses hommes d'approcher le gaillard d'avant, puis tire un bon coup sur son cigare en lançant un jeton sur la pile.

C'est Abraham qui meurt en premier. Le labrador est abattu trois fois de suite. Puis, le professeur d'histoire et de géographie. Tambour vient ensuite. Il laisse sortir une sorte de râlement guttural qui déchire l'air humide lorsqu'il atteint Lulu. Assemblé dans la dunette, l'équipage s'arrête et se regarde. Seul Chang n'en fait pas de cas. « Joue », dit-il à l'homme dont la main, restée suspendue dans les airs, tient une carte.

Les barils sont bientôt couverts de coulées de cire ressemblant à de longues larmes figées dans leur peine. Son père est frappé une cinquième fois. Alx ne panse pas la plaie. « Pourquoi as-tu refusé de te faire soigner ? Pourquoi as-tu sacré ton camp, alors que j'avais tant besoin de toi, que je n'avais personne d'autre que toi ? T'as choisi de ne pas te faire soigner, jusqu'à ce qu'il soit trop tard. Tu as refusé tous les traitements en disant que c'est la médecine qui rend malade. Tu es mort sans penser à moi, tu es mort en égoïste. » Alx recule jusqu'à la ligne de tir. Le couteau se plante entre le *é* et le *o*. Meurs !

L'équipage s'inquiète en entendant les impacts de plus en plus fréquents et de plus en plus violents. Ils sont accompagnés de cris qu'on imagine venant d'une bête dangereuse. « Joue », dit Chang en pointant son cigare éméché sur l'homme en face de lui.

Les coups de poignard commencent à s'espacer, puis finissent par s'arrêter. Après avoir joué son dernier jeton, Chang retourne sur le pont et trouve Alx, assoupi dans une toile. Sa main droite tient toujours son poignard. Du sang coagulé apparaît entre ses doigts. Il ajoute une couverture sur le garçon, puis dépose à ses côtés un gourdin en bois franc, le même qu'il avait utilisé pour en finir avec la tourmente.

Le vacarme commence à l'aurore et dure près d'une demi-heure. Les hommes restent sans bouger dans leur hamac. Chang les avait avertis de ce qui pouvait arriver. Seul Kim, convaincu qu'un bateau rempli de pirates vient de les aborder, se met à prier en cherchant frénétiquement un recoin où se cacher.

Alx fait son entrée dans la dunette à l'heure du déjeuner. Il a les yeux enflés et sa main droite est enroulée dans un chiffon. Suivant les ordres du capitaine, l'équipage continue à manger comme si de rien n'était, pendant que deux marins se glissent à l'extérieur pour aller nettoyer le pont. Chang va à sa rencontre et le serre par l'épaule en lui souriant. « OK? OK? » Alx lui sourit à son tour et fait signe que oui. « OK », répète le capitaine en l'invitant à s'asseoir auprès de lui.

Le mystère restera entier pour les hommes qui parleront longtemps de cette exorcisation. Ils ne comprendront jamais ce que c'est que d'être menotté de l'intérieur. Les chaînes de Chang étaient trop lourdes, trop solides pour qu'il s'en libère complètement, mais il avait au moins réussi à en alléger le poids. *Le garçon en fera peut-être autant, un jour,* se dit-il. *Ce sera à lui d'en décider.*

Le lendemain, Alx remarque une certaine fébrilité au sein de l'équipage qui fixe le large. Le signal arrive une heure plus tard, alors qu'un marin attire l'attention des autres à tribord. On rejoint en vitesse celui qui, le premier, a vu la terre. La main ouverte, il attend qu'on paie la gageure. Alx doit patienter encore une dizaine de minutes avant que ses yeux inexpérimentés aperçoivent finalement la côte.

Chang reprend en charge la timonerie. Le regard sérieux, il se concentre tantôt sur les instruments de navigation, tantôt sur les montagnes qui se précisent peu à peu, limitant ses ordres à de simples grognements.

Les hommes quittent le pont pour revenir quelques minutes plus tard, déguisés en pêcheur. Armes et munitions, couteaux et grenades ont disparu. Chang demande à Alx de lui remettre son poignard pour ne pas éveiller les soupçons. La jonque oblique au nord à une dizaine de kilomètres du rivage, cabotant le long de la côte pendant plus d'une heure avant de s'avancer dans une baie où mouillent des sampans. Le petit navire jette l'ancre entre deux chalutiers pour mieux se rendre invisible aux yeux des riverains. La mission tire à sa fin. Attirés par le rhum et les parties de *fan-tan,* les hommes retournent à l'intérieur, tandis que Chang disparaît dans sa cabine pour s'entretenir avec le locataire.

•

– Jamais ! Tu entends ? Jamais ! réplique Kim. Sale Chinois ! ajoute-t-il à voix basse.

– Monsieur Kim n'a pas d'autre choix. Nous ne pouvons débarquer un étranger blanc sans son coolie. Les paysans n'ont jamais vu d'étrangers sans leur coolie. Ils seront méfiants et parleront aux autorités. Pas de coolie, pas de Blanc à terre, décrète Chang.

– Espèce de...

Le capitaine ferme la porte derrière lui, évitant la diatribe qui se préparait.

D'un simple coup de tête, il ramène à ses côtés, Alx qui l'attendait. Ce garçon, qu'il ne connaît pas, lui rappelle son jeune frère perdu en mer. Il lui rappelle aussi son fils qu'il n'a pas revu depuis ses premiers pas.

Les marins se rassemblent sur le pont au coucher du soleil. Debout sur une caisse, Chang donne ses consignes avant d'envoyer deux gaillards sortir Kim de son trou. Il arrive pieds nus, portant un pantalon corsaire percé aux genoux et retenu à la taille par une corde en coton blanc. Une chemise crasseuse à moitié déchirée et un chapeau de paille effiloché complètent l'accoutrement.

« Pang-tsé ! Pang-tsé ! » L'équipage se met à rire et à crier le sobriquet en voyant cette caricature de coolie tirant sur ses fringues un peu trop ajustées, et qui fera bientôt les choux gras des habitants de Weihai. N'appréciant pas l'exercice d'humiliation publique, même envers ceux pour qui il a peu d'estime, Chang exige le silence avant de châtier sévèrement ses hommes.

Deux matelots s'installent dans l'esquif attaché à l'arrière du bateau, suivis du capitaine, d'Alx et de son nouveau porteur. La petite embarcation disparaît dans la nuit avant d'atteindre le rivage quelques minutes plus tard. Elle dépose ses passagers, puis repart avec l'ordre de revenir sur le coup de minuit.

Par superstition ou par respect pour la terre qui les a vus naître, chacun ramasse au passage une poignée de sable qu'il laisse filer entre ses doigts. Les quatre ombres remontent la côte jusqu'à un sentier qu'ils suivent à la file indienne. La piste aboutit sur une ruelle bordée de petites chaumières aux murs de torchis badigeonnés de chaux. Chang prend les devants et se dirige vers une boutique qu'éclaire un minuscule lampadaire. « Shen Yuan. Poteries et calligraphies. » L'affiche, sur deux lignes, est écrite en mandarin et en anglais. Il frappe de son poing sur l'épaisse porte écarlate, réveillant un chien qui dort. De l'autre côté, un homme bien baraqué les attend sans bouger, les bras croisés sur son thorax. Chang échange quelques mots à voix basse avec le garde qui referme la porte, les laissant poireauter dehors. Il réapparaît quelques minutes plus tard et les invite à le suivre.

Une étagère remplie de vases ornés de paysages, d'oiseaux chamarrés de pierres multicolores et de temples aux corniches recourbées encadre un long corridor qui s'ouvre sur une salle où trône une large table à dessin. D'étroites bandes de tissus en soie coincées entre deux morceaux de bois et sur lesquelles s'entrecroisent de fines lignes tracées à l'encre sont accrochées aux murs. Elles ressemblent aux pages désarticulées d'un grimoire.

Un vieil homme chauve aux lunettes rondes comme des pièces de monnaie nettoie ses pinceaux derrière une table de style victorien. Il est vêtu d'un kimono un peu trop court qui s'ouvre lorsqu'il marche, laissant paraître ses cuisses dégarnies et ses longs bas de coton qui se perdent dans des chaussons en feutre noir. Le calligraphe invite les étrangers à s'asseoir. Chang fusille Kim du regard qui, oubliant son rôle de domestique, cherche à s'approcher.

Le capitaine met ses mains sur la table pour montrer ses bonnes intentions.

– Maître Yuan, cet intrépide aventurier et son coolie ont besoin de papiers pour faciliter leurs déplacements dans notre grand pays, annonce-t-il d'une voix neutre.

– Destination ? demande le calligraphe.

– Le jeune homme désire visiter la contrée au gré de son inspiration.

– Ton Américain a mal choisi son temps, répond le marchand qui regarde intensément Alx, assis droit dans sa chaise.

– Le garçon est russe, riposte Chang en essayant de prendre un air convaincant. C'est le fils d'un ambassadeur.

– C'est ton argent et ta tête. Il aura besoin d'un passeport soviétique et d'un visa sur lequel est inscrit le nom de son coolie.

– Il s'appelle Boris Kovalenko et son coolie, Pang-tsé.

– Pang-tsé ? Vous ne manquez pas d'humour, laisse tomber Shen en regardant Kim, qui serre les poings. Neuf sur dix, ajoute-t-il après une pause.

– Neuf sur dix ?

– Neuf chances sur dix d'être pincé au premier arrêt. Un prétendu Russe qui ne parle pas la langue avec un coolie gras comme un voleur ! Ils ont dû te payer cher.

– C'est combien, les papiers ? coupe Chang en maugréant.

Alx regarde les yeux du capitaine, qui fixent le vieillard sans ciller. D'autres paroles sont échangées avant que l'affaire ne soit conclue. Chang se charge d'accompagner Alx, qui refuse de suivre Shen dans une petite chambre noire pour y être photographié. Ils prennent congé quelques minutes plus tard. « Les documents seront prêts demain midi, assure le calligraphe. C'est cependant le seul miracle que je puisse faire pour lui. »

Les hommes rejoignent la côte où attend le youyou. Le retour se fait dans un silence lugubre. Alx regarde en direction de la jonque, tandis que Kim se demande s'il reverra un jour son pays. Chang, que la souffrance a pourtant rendu égoïste, mesure les chances de succès du garçon.

Un agneau braisé, chapardé dans une ferme du voisinage, les accueille à bord. Alx mange sans grand enthousiasme, pendant que Kim boude dans son coin.

Après s'être faufilé dans la barque sans être aperçu, Chang retourne à terre. Une fois la chaloupe plantée dans le sable, il se met à marcher le long de la grève, puis à courir de plus en plus vite, comme un homme pourchassé. Pas une journée ne s'écoule sans qu'il ne revive cette matinée froide où, 12 ans plus tôt, il abandonnait femme et enfant. Elle voulait un fermier, il était un oiseau de tempête. Belle et entourée de prétendants, elle avait sûrement refait sa vie depuis. Si elle appartient à l'histoire, son fils, lui, fait toujours partie de son présent. Parfois, tard dans la nuit, il entend les pleurs de son enfant qui crie sur le seuil de la porte, les bras tendus vers lui. Comment un gamin d'à peine trois ans avait-il compris que son père le quittait pour toujours ? Même s'il doute de sa paternité, il se doit de croire qu'en ce bas monde, un être issu de sa lignée vit quelque part en Chine.

Mille fois il a imaginé son futur. Un homme intelligent, brave et insoumis, gagnant honnêtement son pain et élevant un fils qui lui fera honneur. À moins qu'il ne devienne un escroc comme lui, un laissé-pour-compte qui n'aura nulle part où aller. Lui donnera-t-on sa chance? Qui guidera ses pas dans ses moments de noirceur?

Fuyant ses propres pensées, Chang accélère avant de tomber sur le sable fin, au bout de son souffle. Il essaie de se relever, mais en est incapable. Haletant, il ferme ses mains sur les petits grains détrempés et serre les poings jusqu'à en trembler. Des larmes se mettent alors à couler.

•

L'aurore commence à poindre lorsqu'Alx se réveille en grelottant. Après s'être glissé hors de son hamac, il s'enroule dans sa couverture et suit des yeux les mouettes qui virevoltent comme des athlètes se réchauffant avant la compétition. Quelqu'un lui touche l'épaule. Chang, une tasse de thé vert à la main, lui sourit. Il paraît fatigué après cette autre nuit à tirer sur ses chaînes.

Le soleil chauffe le pont depuis un bon moment lorsque Kim se montre, trop heureux de quitter cette bande de sauvages. Deux marins l'escortent jusqu'à l'embarcation qu'il fait presque chavirer, se couvrant une dernière fois de ridicule. Alx refuse de suivre. L'un d'eux s'approche et tire sur sa manche, mais il s'en libère aussitôt et se rassoit sur sa caisse. À court d'idées, on va chercher le capitaine qui s'est enfermé dans sa cabine. Chang marche droit vers Alx qui se lève, les yeux pleins d'eau. Il l'entoure de ses bras comme il aurait voulu le faire avec son fils, et lui chuchote à l'oreille quelques mots. Après un moment, il défait son étreinte, essuie de ses doigts rugueux les joues humides du garçon et l'accompagne jusqu'à l'échelle de bois. Une fois Alx installé, il lui remet son poignard et lui montre une toute petite inscription sur la lame : « Chang. » Après une dernière accolade, le capitaine remonte l'échelle et disparaît dans sa cabine, où chauffe une pipe à opium.

# X

Le calligraphe surprend de nouveau ses invités avec son accoutrement hétéroclite. Il porte cette fois un kimono vert pâle garni de boutons dorés en forme de timbre-poste et des longs bas orangés se terminant dans des pantoufles crème. Une plume de faisan pend à son oreille droite, tandis qu'un petit os traverse le lobe gauche. Les ongles de ses doigts peints de noir et de blanc ressemblent à des notes de piano qui jouent une mélodie imaginaire. Ses épaisses lunettes lui donnent l'air d'être constamment étonné et rendent son regard insaisissable. On dit que c'est un artiste fou. Il apprécie ce compliment et le statut que cela lui confère, car dans ce pays, on laisse les fous tranquilles.

Le travail est remarquable. Même la lettre attestant l'autorisation du coolie à voyager avec son maître porte le sceau gouvernemental. Après avoir remis les documents à Alx, Chen fait signe à son garde du corps de les reconduire à la gare de train.

La salle des pas perdus ressemble à un marché public. Les murs sont couverts de cages empilées les unes sur les autres et dans lesquelles poulets, chiens et macaques tournent en rond. Au centre se tient d'un côté les vendeurs accroupis sur leur tapis bariolé annonçant à grands cris leur camelote, et de l'autre, les estropiés qui quémandent des sous. Kim doit jouer du bâton pour repousser les mains tendues qui entravent le couloir menant à la billetterie. Il glisse entre les barreaux du comptoir, une liasse de petites coupures, qu'un vieux monsieur échange contre deux tickets. Le mot « Shanghai » est imprimé juste sous l'effigie du président Mao, qui leur souhaite bon voyage. Kim ramasse les titres et reprend son chemin. Il est rapidement rejoint par une bande de voyous qui forme un cercle autour de lui. Des mains commencent à tirer sur ses vêtements. Un rire éclate lorsqu'il perd son pantalon en luttant désespérément contre les doigts qui cherchent à lui faire les poches. Un des jeunes qui s'apprêtait à sortir une machette se met à hurler, la main sur la fesse. Un autre l'imite, puis un troisième. Alx continue d'avancer avec son poignard ensanglanté. Un grand maigre décide de l'affronter au couteau. Alx lui fait signe de s'approcher. L'heure est venue de mettre en pratique ce que lui a enseigné Chang. Son adversaire devient incertain devant cet étranger, qui a le culot de lui lancer une invitation. Le bras tendu comme un escrimeur, il s'élance. Alx esquive le coup et laisse passer le couteau. Sa lame ouvre le poignet de son agresseur et coupe un ligament, rendant sa main inutilisable. Le garçon se met à beugler, les yeux fixés sur son pouce qui ne répond plus. Survolté, Alx cherche à qui le tour, pendant que Kim le tire vers la sortie.

Après s'être assuré qu'ils n'étaient pas suivis, ils se perdent dans la foule et s'arrêtent dans une échoppe pour faire une provision de fruits.

On s'anime déjà le long des wagons lorsqu'ils se présentent pour réclamer leur place. Des cris et des rires se font entendre du côté du fourgon de queue, où des coolies chargent les bagages. Kim suit son propriétaire à bonne distance quand une bousculade le fait tomber. Un agent de sécurité l'accroche par le bras et l'engueule vertement. D'un signe de tête, Kim ordonne à Alx de disparaître au plus vite avant de devoir montrer son billet au gendarme.

– Un coolie dans un wagon-couchette ! Mais à qui tu l'as fauché, ce ticket ? demande-t-il en sifflant le contrôleur.

– Il l'a sans doute trouvé, suppose l'inspecteur qui examine le papier. Enferme-le avec les autres.

Kim proteste avec véhémence, mais un coup de gourdin dans les côtes met fin à la discussion. On le balance dans le wagon avant de fermer la grande porte, pendant qu'Alx monte dans sa voiture. L'absence de Kim ne l'inquiète qu'à moitié. Même les personnes les mieux vêtues ne sont pas accompagnées de leurs coolies. *Ils ont sans doute un endroit à eux*, pense-t-il. *Je le retrouverai en fin de parcours.*

Le wagon, avec ses lits superposés, cachés derrière d'épais rideaux, ressemble à une ruche d'abeilles. Un mince futon, une couverture de laine et un oreiller sans taie meublent chaque case percée d'une petite fenêtre. Un lumignon juste assez bon pour faire des ombrages se balance dans un coin. La locomotive se met à gronder et à pousser sur ses engrenages. Le long serpent d'acier et de bois quitte l'abri sous un panache fumée noire, amorçant un voyage de près de 2 000 kilomètres.

•

Manœuvrant dans une vallée sinueuse, le convoi épouse chaque méandre, obéit à chaque contour de sa capricieuse topographie. Lorsqu'il ne dort pas, Alx regarde le paysage se dérouler devant lui. Le panorama l'étonne. Des champs de couleurs variées s'accrochent au flan des montagnes, formant un tartan qui se moule aux formes. Confinés à leurs petits carrés de sable comme les pièces d'un immense échiquier, des cultivateurs piochent ou conduisent des buffles. Une fillette suit des cochonnets noirs qui trottinent en file indienne le long d'un sillon. Une vieille femme pique du riz, une autre lave des choux dans un caniveau.

Le train s'arrête à la gare de Nanjing, 17 heures plus tard. Les marchands ambulants ne perdent pas de temps avant d'assaillir les wagons et de fondre sur ses passagers à moitié endormis, poussant avec zèle leur cabaret rempli de bricoles en bambou, comme si quelqu'un pouvait s'intéresser à ce genre de chose à pareille heure. Alx profite de la confusion pour se mettre à la recherche de Kim. Il est intercepté avant d'avoir pu franchir la porte de la voiture suivante par le contrôleur qui le reconduit à sa place de façon ferme et polie.

Un employé de la gare ouvre le wagon de queue afin de permettre aux porteurs de s'étirer les jambes et d'aller se soulager. Ne pouvant plus contenir sa rage, Kim sort en vociférant des obscénités. Il croise un gamin qui lui fourgue toute sa cargaison de bananes. Le coolie se dirige en marchant vers la voiture de tête lorsqu'un militaire vérifiant les papiers d'un touriste l'interpelle. Il a beau lui expliquer en long et en large qu'il a payé sa marchandise avec de l'argent donné par son maître, rien n'y fait. Il est conduit au commissariat de la gare avant d'être déshabillé et fouillé. On trouve sur lui 70 yuans, ce qui confirme leurs soupçons : c'est bien un voleur à la tire, déguisé en serviteur. Il est condamné en un temps record à trois jours de bagne. Ses supplications sont étouffées par le train qui siffle son départ.

De nouveaux passagers ont rempli les places vides. Un enfant qui pleure fige net lorsque le contrôleur réclame à grands coups de mégaphone, ordre et discipline. Alx est rassuré par un monsieur en veston cravate qui lui explique en gesticulant que les coolies sont cantonnés dans un wagon qui leur est assigné et qu'on ne les reverra qu'à l'arrivée.

Les lumières de l'étroit corridor s'éteignent dès que le train reprend sa vitesse de croisière. De sa fenêtre, Alx devine au loin la découpe arrondie des montagnes burinées par la main de l'homme. Des fours à brique se profilent dans les champs dégarnis, comme des cheminées orphelines à la recherche d'une maison. Bercés par le roulis du wagon et la cadence des roues sur les traverses, les passagers s'abandonnent aux rêveries dans une douce atmosphère de solitude et d'éloignement. Alx ferme les yeux. Les images se mettent à défiler dans sa tête, comme le décor champêtre devant sa fenêtre. L'Anse-aux-Bernaches lui apparaît avec une étonnante clarté. C'est l'été et le soleil chauffe l'herbe le long de la côte, exhalant une fragrance qu'exacerbe la rosée du matin. Le piaillement entremêlé des moineaux dans les buissons s'unit aux cris des goélands qui profitent du jusant pour traquer des crustacés. Il imagine son père sur la plage, ramassant des bouts de bois aux formes inspirantes. Il le voit assis sur une pierre, dégrossissant un morceau de bouleau, les yeux rivés au large, cherchant un monde qu'il ne trouvera jamais. Au loin, il y a une maison avec une chambre vide et en haut de la côte, une école remplie de garçons qui l'attendent pour le tourmenter. Sur la mer, un vraquier bat la mesure avec sa grosse hélice, tandis que son cuisinier prépare le souper sous le regard attentif de son chat qui ronronne. Le visage raviné du vieux pêcheur, la charpente squelettique de Bee, l'innocence du petit garçon qui a guidé ses pas pendant sa convalescence et le courage de Minh pour le libérer des griffes de l'amuseur refont tour à tour surface. Puis, viennent Délectable, Kim et finalement Chang. Tous n'ont fait que passer dans sa vie, sauf Kim, qu'il espère revoir à l'arrivée.

•

Le soleil se brouille avec les nuages dès son lever, créant une atmosphère lourde qui pèse jusque dans le train. Les maisons, éparses depuis le départ, se serrent les unes contre les autres pour former un trait continu. Surpris dans le corridor, des passagers s'écrasent contre les portes des wagons lorsque la motrice décélère. Le convoi s'incline légèrement vers la droite, suivant la longue courbe imposée par la voie ferrée qui disparaît dans la gare.

Des dizaines de vendeurs accourent le long de la travée, espérant profiter de la largesse des visiteurs, tandis que dans un dernier sifflement, la locomotive signale la fin du périple.

Alx se faufile dans la foule compacte, trop heureux de quitter son cocon. Il va s'asseoir sur un banc aux abords du quai pour y attendre son coolie. Tout près, un couple d'aînés se penche sur un petit garçon fraîchement descendu, et qui paraît intimidé. L'homme cache derrière son dos une pomme bien astiquée. À quelques pas, une femme tient la main d'un militaire au garde-à-vous. Adossée au mur de la gare, une bande de jeunes scrute la plateforme à la recherche d'un objet égaré. Les nouveaux arrivants bataillent contre la meute de mendiants, jusqu'à la ligne de pousse-pousse.

Quinze minutes s'écoulent sans que Kim donne signe de vie. *La discussion orageuse avec l'inspecteur y est peut-être pour quelque chose,* se dit Alx qui cherche à s'informer. Il ne peut pas parler et les bagagistes, tout comme le contrôleur, ne souhaitent pas l'entendre.

Les vendeurs de trucs inutiles se rabattent sur la dernière proie à leur portée. Après avoir étendu à ses pieds des imitations bon marché de voitures jouet *Hot Wheels* et de poupées *Barbie,* ils tendent la main dans l'espoir de voir apparaître quelques billets. Alx leur tourne le dos, mais autant chercher à fuir les mouches. Exaspéré, il en pousse un, ce qui renforce l'audace des autres. Il devra débourser quelques yuans pour obtenir la paix. L'un d'eux se met tout à coup à crier, attirant l'attention des badauds. Deux uniformes se retournent. Alx plonge la main dans sa poche et ramasse une pleine poignée de pièces qu'il lance aussi loin qu'il le peut. La meute se jette sur les planches, saisissant les petites rondelles qui roulent dans tous les sens. Il profite de la diversion pour disparaître avant de revenir une demi-heure plus tard, espérant trouver Kim assis sur un banc. Il l'imagine en colère, levant même la main sur lui. Mais qu'importe, il acceptera le châtiment si c'est pour le réunir avec la seule personne qu'il connaît et dont dépend sa survie. Kim avait un plan, une destination. Ils allaient quelque part.

Une profonde solitude s'empare d'Alx lorsqu'il réalise que tous les bancs sont inoccupés et que la gare est fermée. L'horloge accrochée au-dessus de la grande porte indique 18 h 12. Kim ne viendra pas.

Pour ne pas céder à la panique, il se met à errer dans les rues au gré des mouvements de foule, suivant les badauds qui circulent dans les artères de la ville tentaculaire, avant de s'engouffrer dans une ruelle qui aboutit dans un cul-de-sac. En revenant sur ses pas, il surprend une fillette qui le regarde. Un bambin endormi se cramponne à son dos comme un jockey sur sa monture. Les pieds de l'enfant, enfouis dans les poches échancrées d'une salopette qui ne tient plus que par une seule bretelle, font deux petites bosses qui remuent de temps à autre. Alx s'approche en lui tendant quelques yuans qui font briller ses yeux et lui donnent un sourire. Le jappement d'un chien dans l'allée la fait reculer. Il dépose l'argent en bordure du trottoir et s'éloigne. Elle ramasse le maigre butin dès que l'étranger est hors de portée.

Alx se met à longer la rivière Huangpu qui traverse la ville en son centre. Les lampadaires prennent la relève du soleil qui disparaît derrière une tour d'habitation et commencent à ensemencer l'affluent de petites larmes jaunâtres qui se déforment sur la surface mouvante. Le froid intraitable mord dans sa chair, tandis qu'il poursuit sa marche jusqu'au pied d'un pont où des sans-abri se réchauffent autour d'un baril en métal dans lequel crépite un feu. Enroulée dans un drap que serre un tablier en lambeau, une femme d'une laideur remarquable aperçoit le garçon et lui crie quelque chose qui se veut une invitation. Alx hésite quelques instants, mais la nécessité du moment l'emporte sur la prudence. La vieille prend les devants et l'agrippe par la manche de chemise pour ensuite le pousser près des flammes. Elle sort de son énorme tablier des restes de *mantou* – ces petits pains ronds sans croûte – et un fond de bouteille dans lequel flottent des grenailles. Pour ne pas insulter son hôte, Alx accepte le pain et enfouit la gnôle dans son cabas. L'heure tardive le convainc de rester. Il se réfugie à quelques pas du pont, préférant sacrifier la chaleur à la sécurité.

Les ombres de la nuit se sont évaporées au petit jour sans un bruit, comme un brouillard qui se lève. Le feu de camp, seul vestige de leur présence, fume encore. Alx remue la braise avant d'appuyer son dos contre le baril. La tiédeur traverse sa chemise couverte de rosée et irradie ses muscles endoloris. Cette sensation lui rappelle Délectable qui l'entourait de ses bras pour le réchauffer, alors qu'il tremblait comme une feuille. Le geste transcendait la bonté. Elle était faite pour aimer.

Il reste longtemps sans bouger, à méditer sur son inexistence. Il n'existe plus pour sa mère ni pour Lulu. Chacun vaque à ses occupations, oubliant cette image pâlissante accrochée au mur de l'escalier qui s'appelle Alx Stanlie.

La dernière braise ayant rendu l'âme, il reprend sa route, une route qui ne va nulle part. Brisé par une charge invisible, il marche le dos courbé à la manière de ces coolies rencontrés à la gare. L'arôme d'une cuisinette aménagée sur un pousse-pousse le mène à un cantinier qui lui sert un bol de soupe fait de nouilles et de légumes verts. Ne voulant pas être vu en compagnie d'un étranger, le commerçant se tire en toute hâte après avoir empoché son dû.

Le sentier qui le guide depuis son départ de la station de trains s'arrête devant une promenade sur laquelle déambule une foule compacte. Alx serre la droite pour ne pas être emporté à contre-courant et se colle derrière un homme de bonne constitution qui bat son chemin à coups de claques et de blasphèmes. Il le suit jusqu'à un ponceau qu'il enjambe pour se libérer du tumulte. Croyant être à l'abri des regards, il découvre son torse en nage, dont la pâleur crayeuse n'échappe pas à l'œil averti d'un vendeur qui l'avait dans le collimateur depuis un moment. Sa main cuivrée s'accroche à l'épaule de son nouveau client et lui fourgue trois cerfs-volants dans les bras. Alx a beau accélérer le pas, changer de direction, pousser, tirer, rien n'y fait. Son poursuivant lui colle au derrière, exigeant le paiement pour ses oiseaux de papier. C'est alors que, perdant patience, Alx empoigne la bouteille de gnôle qu'il traînait sans trop savoir pourquoi et assène un coup peu convaincant sur la tête du garçon.

Flairant la bonne affaire, le vendeur se met à hurler comme si on venait de lui trancher la main. Un étranger attaque un pauvre Chinois sans défense. *Ça doit bien valoir quelque chose,* se dit le comédien motivé par l'attroupement qui se forme. S'amusant à embêter une jeune fille, deux policiers non loin de là dispersent la foule et prennent l'avant-scène. Le plus petit des deux uniformes flanque un coup de pied dans les côtes du vendeur qui a cessé de gémir. « Debout, sale petite ordure ! » La prétendue victime se relève péniblement, tandis qu'attend l'officiel, la main ouverte. Une pièce de monnaie tombe dans la paume du policier qui ne bronche pas. Le vendeur ajoute une autre pièce, puis une autre encore. Les doigts se referment finalement sur la sixième rondelle.

« Fous le camp ! » Après avoir ramassé ses cerfs-volants et le peu de dignité qu'il lui reste, le garçon, atteint à la tête, s'éloigne en clopinant.

Les policiers portent ensuite leur attention sur Alx qu'ils emmènent au poste situé au coin de la rue. L'un d'eux cogne à la porte du commandant qui lâche une sorte de jappement.

Derrière une table se tient un personnage coiffé d'une casquette grise au bonnet gonflé, ceinturé d'une large visière. *En égayant la couleur du galurin et avec un peu de rouge à lèvres, la grosse tête pourrait facilement faire le cirque,* pense Alx. D'une lenteur toute fonctionnaire, l'homme termine sa ligne dans un registre, avant de lever les yeux. Il est important. C'est du moins l'impression que lui et sa casquette veulent donner.

On fait signe à l'étranger de s'asseoir. Cinq téléphones d'allure préhistoriques forment un demi-cercle autour du grand maître qui ressemble à un joueur d'échecs poussant ses pions. Alx sourit en remarquant qu'un seul des appareils est branché à une fiche murale.

La conversation ne mène nulle part. Le suspect lève les épaules pendant que la grande casquette fait les cent pas derrière ses bigophones, craillant comme une corneille. Malgré le sérieux de l'affaire, Alx trouve la scène plutôt cocasse, ce qui ne fait qu'exacerber la mauvaise humeur du gradé qui ordonne à ses subalternes de le fouiller. Deux pommes et un ceinturon sont déposés sur le bureau. Alx refuse de remettre son poignard. Sa résistance est de courte durée. Son excellence se débarrasse des fruits et du couteau avant de porter son attention sur l'objet le plus prometteur. Craignant le piège, il ouvre avec précaution la fermeture éclair du ceinturon. Les 1500 yuans le font presque chanter. Son emmerdeuse de femme aura enfin son téléviseur. Il se concentre ensuite sur les papiers d'apparence officielle. Le deuxième paragraphe fait fondre son sourire. « Boris Kovalenko, fils d'attaché soviétique. » Un subalterne qui regarde par-dessus son épaule, passe un commentaire.

– Y a pas la tête d'un bolchevik.

– Je n'ai rien entendu sortir de sa bouche, ajoute un troisième.

Le chef réfléchit un instant, puis ramasse un vieux dictionnaire chinois-russe qui collecte la poussière derrière son bureau. Ouvrant une page au hasard, il met le doigt sur le mot « table » et le pousse sous le nez d'Alx qui ne réagit pas. « Ou bien il est con comme la lune, ou bien il ment comme un voleur », suggère le sergent. La grande casquette retourne à ses tablettes et prend un dictionnaire chinois-anglais. Il trouve le même mot qu'il ressert au prévenu. L'exercice donne cette fois des résultats. Après avoir regardé le nom, Alx pointe le meuble. Les agents, ignorant que le mot en question se retrouve également dans le dictionnaire français, se tapent dans les mains. Ils sont tombés sur un Américain, un ennemi de la nation qui se fait passer pour un Russe.

La grande casquette s'en va d'un bon pas consulter une plus grande casquette.

La nouvelle ne reçoit pas l'enthousiasme attendu.

– Vous êtes incapable de travailler sans faire de vagues ! gueule la très grande casquette.

– Mais, mais, c'est un espion américain qui...

– Vous vous souvenez de votre espion espagnol ? Trois jours de bagne pour un étudiant parfaitement en règle, coupe l'autre. C'est vous qui faites des bêtises et c'est moi qui trinque !

– Mais...

– Pas de mais ! Trouvez un camarade au Service de la rééducation et envoyez-lui le paquet. Ne laissez aucune trace de son passage, vous entendez ? Aucune trace.

La grande casquette salue la très grande casquette avant de retourner à son bureau, la mine déconfite.

– Qu'est-ce qu'on fait avec lui ? demande le petit flic qui espérait faire les journaux locaux, peut-être même la télé.

– On le refile à d'autres, grogne la grande casquette avant de replonger dans son registre. Vos âneries ont failli me coûter très cher.

La nuit dans la cellule est quand même plus confortable que celle de la veille, passée sous le pont. Un drap de coton sert de couvre-lit à une couverture de laine, pliée en trois. Même rudimentaire, ce luxe constitue à ses yeux, et surtout à ses fesses, un traitement royal.

Le lendemain aux petites heures, deux individus d'allure austère se pointent devant sa cage. L'homme dissimulé derrière des lunettes aux larges rebords porte des cheveux poivre et sel coupés en brosse, ajoutant à l'air sévère du personnage. La femme qui l'accompagne sort de la même litière et fréquente le même barbier. Sa lèvre pincée et ses rides creusées par la critique exhalent une antipathie forte comme une odeur d'urine. Ses lunettes sont aussi communistes que l'autre. Alx ne peut s'empêcher de les baptiser : Toto et Momo.

Il se retrouve sur une banquette de train deux heures plus tard, flanqué de ses nouveaux anges gardiens. La puissante locomotive renifle le sud-ouest, en direction de Chengdu dans le Hunan, une balade de trois jours et demie ponctuée de quelques arrêts. Un long coup de sifflet se fait entendre et les paysages commencent à défiler. Les manufactures cèdent la place aux terres de labour qui s'attachent les unes aux autres, refusant de céder le moindre centimètre à la nature sauvage. La route longeant la voie ferrée est encombrée de charrettes tirées par des bœufs, des mules et des chameaux. Leurs conducteurs, ignorés par les cyclo-pousses et les tracteurs qui zigzaguent entre leurs pattes, réclament à grands cris leur part du chemin.

La journée se passe dans un silence interrompu seulement par quelques mots échangés entre Toto et Momo à l'heure des repas. Puis, vient la nuit qui écrase le paysage et abandonne le train à son sort. Alx s'enroule dans une couverture et s'endort, recroquevillé sur son siège.

Contre la pâle lueur de l'aurore se dessinent des ombres armées de pelles, de pioches et de palanches qui remontent en file les terres à affranchir.

Après avoir fait sa toilette, Momo replonge dans son petit livre rouge, s'abreuvant des paroles du Grand Timonier, tandis que Toto regarde dehors, entre deux roupillons. Le contrôleur ayant reconnu les deux fonctionnaires au service du goulag se garde bien de réclamer leurs tickets.

Deux autres jours s'écoulent avant que le train ne s'arrête au beau milieu d'un champ, à quelques kilomètres de Chengdu.

Grande comme une chambre à coucher, la gare affiche fièrement ses convictions sur une banderole clouée au mur: « Le travail par le peuple et pour le peuple. » Trois passagers descendent tout près d'un camion à plateforme qui attend. Momo rejoint le conducteur, pendant que Toto et Alx s'installent à l'arrière, le dos contre les ridelles. Le Yuejin remonte un chemin entre deux champs qui s'étendent à perte de vue. Toto finit par s'assoupir sur une vieille toile entassée dans un coin, tandis qu'Alx, fouetté par le vent et enivré par l'odeur du sol fraîchement retourné, goûte cette pseudo-liberté par tous les pores de sa peau. C'est étrange à quel point les petits moments de la vie prennent de l'ampleur lorsque le futur est à ce point incertain. Personne ne sait où il est, et personne ne s'en soucie. Ces gens qu'il ne connaît pas disposeront de lui à leur guise.

Une série de constructions alignées le long d'un ruisseau s'approche. Le camion s'arrête devant une bâtisse dont le mur avant blanchi à la chaux est signé d'une croix écarlate. Aussitôt à l'intérieur, on fait signe à Alx de se déshabiller et de mettre ses vêtements dans une boîte en bois placée à sa disposition. Un médecin en sarrau affublé d'un bonnet arrive en coup de vent. Il montre la table matelassée à l'étranger qui s'allonge. Muni de gants caoutchoutés, le docteur examine sa chevelure, puis palpe son thorax. Le nouvel arrivant est sans poux et semble en assez bonne santé. Son nom, tatoué sur son avant-bras, est inscrit sur une fiche. Vêtu d'une simple serviette, il est ensuite amené dans le bâtiment adjacent où une femme, derrière un comptoir, lui remet un large pantalon bleu foncé, une chemise de toile gris charbon trouée par trois boutons en bois, un tee-shirt blanc, une corde faisant office de ceinture, une casquette semblable à celle que portait le gradé de Shanghai, et des bottes dans lesquelles sont fourrés des bas sentant la bête. Elle dépose sur le tas de hardes, deux paires de sous-vêtements et quatre élastiques pour serrer les manches de chemise et les bas de pantalon. Une futile tentative pour contrer l'attaque incessante des moustiques.

On l'escorte à la cafétéria, où l'aide-cuisinière lui tend, à travers une ouverture, un bol de riz, quelques légumes verts et un morceau de viande salée. Vingt minutes plus tard, un jeune homme le conduit au dortoir où on lui assigne un lit le long du mur arrière. Momo, qui l'a accompagné dans tous ses déplacements, glisse la petite boîte en bois sous sa couche après en avoir fouillé une dernière fois le contenu, terminant ainsi sa mission.

Alx s'allonge sur la paillasse dès qu'il est seul. L'horloge accrochée au-dessus de la grande porte marque 22 heures lorsqu'il la regarde pour la dernière fois.

•

Il fait encore nuit lorsqu'un jeune homme entre dans le dortoir en frappant une gamelle avec sa louche. *L'imbécile ne doit pas avoir beaucoup d'amis,* se dit Alx, dont le cœur s'est arrêté. Une soixantaine d'adolescents en maillot de corps bondissent d'un même élan pour aussitôt converger vers la sortie. Au premier coup de sifflet, la troupe parfaitement alignée se dirige vers les douches, pendant que le garçon à la gamelle inspecte le dortoir. Une sorte de beuglement sort de sa bouche en apercevant Alx, assis sur le bord de son lit. L'effet est immédiat. Le nouveau venu saute sur ses pieds et prend place derrière la file.

Chaque travailleur ramasse un savon dans une grande boîte en bois, puis se lave en marchant dans un corridor en céramique muni de gicleurs. Des serviettes empilées sur une table les attendent au bout du passage.

Alx s'étonne en regardant cette étrange chorégraphie de Chinois qui sautillent pour enfiler leurs vêtements. On dirait une troupe d'acteurs se changeant entre deux scènes. Ils prennent ensuite le chemin des cuisines où s'étalent sur les longues tables des bols de riz mélangés à des grains de maïs. Des femmes circulent en remplissant de thé vert les petites tasses en terre cuite. Alx s'assoit entre deux garçons qui lui paraissent identiques. Ils se ressemblent d'ailleurs tous, avec leurs mêmes yeux noirs, leur même chevelure drue, leur même visage éteint.

# XI

Alx est envoyé dans les champs qui servent de garde-manger aux ouvriers travaillant dans les fonderies environnantes. En plus d'être maltraité par un soleil brûlant, il doit endurer le manche rugueux d'une pioche qui lui lacère les mains. Même les bandelettes découpées dans sa couverture ne réussissent pas à arrêter le sang. Et il y a les autres, ces garçons qui lui crachent au visage sans rien dire, simplement parce qu'il est différent.

Cette marginalisation, au lieu de le briser, renforce sa résilience. On a beau le surcharger, l'engueuler, le frapper, il ne casse pas. Pour celui qui en a la force et la santé, il est possible de sauver sa peau et sa tête en développant un physique et un mental capables de surmonter les épreuves.

Son ardeur donne rapidement des résultats. Ses biceps, ses pectoraux et ses mollets se gonflent tellement qu'on doit changer la taille de ses vêtements. L'admiration et la haine envers lui prennent elles aussi du volume. Sa performance dans les champs commence à affecter les troupes qui ne peuvent suivre son rythme. Les responsables de la commune doublent, puis triplent son quota. NA15 s'entête à livrer la marchandise.

L'inquiétude monte jusqu'aux instances politiques du gouvernement local, dont l'apostolat affiché est de « corriger et guérir ». Personne ne sait trop quoi faire d'Alx qui se conforme aux consignes et remplit un peu trop bien sa quote-part. Chose certaine, il faudra tôt ou tard trouver une façon de s'en débarrasser. Depuis l'entente de coopération signée entre le Parti Communiste Chinois et l'ONU, des espèces de hippies se sont mis à sillonner l'arrière-pays à la recherche d'on ne sait quoi. Tôt ou tard, l'un d'entre eux se pointera à la ferme et montera au champ pour sentir ce qui s'y passe. Ils perdront un bon travailleur, mais le risque est devenu trop grand, en a décidé le Comité.

À l'époque de Mao, se débarrasser de quelqu'un était un jeu d'enfant. On l'amenait derrière une étable, on lui foutait une balle dans la nuque, puis on l'enterrait loin de la source d'eau potable. Aujourd'hui, il faut avoir une raison, il faut que le garçon commette une bévue. Une irréparable bévue.

•

Sur la foi de sa bonne conduite et à force de gesticulations, Alx obtient quelques crayons et des bouts de papier sur lesquels il dessine des parcelles de son passé. L'Anse-aux-Bernaches vue du large est assez réussie, mais c'est le portrait de Lulu, assise sur son lit serrant Gros Yeux, son ours en peluche, dont il est le plus fier. Son visage rond et ses yeux pétillants à la fois moqueurs et enjoués s'y retrouvent. Complice de ses pensées les plus profondes, elle le regarde, le comprend. Chaque soir avant de s'endormir, il glisse ses esquisses sous son matelas en espérant qu'elles viendront le visiter.

L'été bascule dans un automne chargé de pluie. Le mois d'octobre tire à sa fin lorsqu'aux petites heures, Alx, sortant des cuisines pour rejoindre les membres de son équipe, est attiré par un attroupement près d'un arbre. Le groupe se disperse en l'apercevant. Une feuille trouée par un fil virevolte sur une branche. Alx s'avance doucement, de peur qu'elle ne s'envole. Adossés à une clôture de pierres, les travailleurs l'observent en silence pendant qu'il approche une lanterne pour mieux voir. Le choc lui coupe le souffle. Quelqu'un a pendu sa Lulu ! Il soulève légèrement le dessin, comme pour aider Lucie à respirer, puis la détache de ses mains tremblantes de rage avant de la presser contre sa poitrine et de se laisser tomber au sol. Les autres filent en direction des champs, l'abandonnant à sa détresse. En fin de journée, ils le retrouvent assis au pied de l'arbre, immobile avec Lulu sur ses jambes, souillée de terre.

Minuit passe lorsqu'une cuisinière s'approche d'Alx pour voir s'il est toujours vivant. Ses doigts piquants comme des aiguilles tapent sur son épaule jusqu'à ce qu'il se mette à grogner. Elle tire sur sa manche pour qu'il se lève, puis coince sa tête sous son aisselle, l'alignant tant bien que mal vers le dortoir. Lulu glisse au sol comme un pétale décrochant de sa fleur.

La barre du jour cherche encore sa ligne lorsque le garçon à la gamelle ouvre grande la porte du dortoir et allume les lumières. Sa louche frappe le fond du récipient avec une telle force, qu'il doit vouloir réveiller la Chine entière. Son physique imposant et ses tendances perverses font de lui un candidat idéal pour ce genre de travail. Alx s'exécute comme les autres, sans que transpire sa soif de vengeance. Le meurtre de sa sœur – car il s'agit bien d'un assassinat – ne restera pas impuni.

« L'égalité en tout et pour tout », une devise pour dire autrement que chacun doit s'acquitter de sa tâche.

La force et l'endurance d'Alx lui permettent de terminer sa part de travail avant les autres et ainsi, d'aider les plus faibles en bêchant sur leurs lopins. Depuis l'évènement de l'arbre, il rosse la terre avec une telle violence que certains croient qu'il finira par la rendre infertile.

Seul Hou, un maigrelet d'à peine 12 ans, se risque près de lui, besognant à ses côtés en imitant ses gestes. Alx n'y prête pas attention jusqu'au jour où, le visant d'une pierre, le garçon à la gamelle manque son tir et atteint le gamin à la tête. Le sang gicle aussitôt. Le visage crispé par la douleur, Hou se met à crier en cherchant un caillou qui saura le venger. Son bras n'a toutefois pas la puissance nécessaire pour obtenir réparation. Alx s'approche de la petite victime qui pleure en silence et l'entoure de ses bras pour la consoler. Entre ses mains, il sent la fragilité de ses os et la raideur de ses muscles contractés. Son regard se tourne vers l'assaillant qui perd courage et rebrousse chemin. Le maigrichon, dont l'aplomb a de quoi embarrasser les autres, vient de se faire une place dans le cœur d'Alx.

L'automne finit par céder le pas à l'hiver, qui s'installe en une nuit. On entasse les bêtes à l'étable et on affecte les hommes à leurs soins. Le froid intense émaille la terre d'une fine couche de glace avant de l'envelopper d'un tricot de neige dont les mailles prendront plusieurs mois à se défaire.

•

Avec le mois d'avril arrive la fête du Qing ming, cette grande célébration où les paysans sortent de leur clapier et marchent les champs détrempés en espérant gagner des indulgences auprès des dieux. C'est aussi l'une des rares occasions de festoyer.

Devant la commune, une dizaine de camions attendent leur chargement de travailleurs. Le déjeuner, qui se passe habituellement en silence, bourdonne sous l'excitation. Les autorités donnent leurs directives à ceux qui vont bénéficier d'une journée de liberté, insistant sur les conséquences d'un manquement au règlement.

Les jeunes s'entassent sur la plateforme des poids lourds, tandis que les plus vieux prennent place sur la banquette avec les conducteurs. Le convoi se met en route vers le village voisin sous les cris et les chants des hommes anticipant quelques heures de plaisir.

Des tables installées le long des clôtures accueillent les arrivants qui plongent sur les victuailles. Postés à une intersection, trois garçons que l'alcool de riz a rendus braves, taquinent des jeunes filles.

Alx suit de loin la procession qui avance le long des bâtisses. Il ramasse au passage une cuisse de poulet, puis s'assoit sur le perron d'une bergerie. Hou vient le rejoindre avec le même butin. Ils mangent en silence, regardant distraitement les hommes, les femmes et les enfants qui déambulent sous la douce chaleur d'un soleil printanier.

C'est alors qu'elle se présente en replaçant ses longs cheveux d'ébène, comme on le ferait d'une pèlerine. L'encolure entrouverte de sa blouse couleur crème laisse entrevoir une poitrine offrant de belles perspectives. Seule une petite broche accrochée à la boutonnière brise la monotonie de l'uniforme. Son regard lumineux, orné de jolies fossettes et d'un sourire charmeur, piègent Alx. La terre arrête de tourner jusqu'à ce que, las d'attendre, la compagne de Peng tire sur sa manche. Les deux adolescentes saluent les garçons avant de poursuivre leur route en ricanant. Alx suit des yeux la fille du fabricant de bicyclettes qui disparaît derrière la foule opaque. Il trouve entre ses mains une pomme qu'il ne se souvient pas d'avoir reçue. Étonné, Hou examine le visage empourpré de son compagnon qui regarde le sol.

La noirceur s'est installée depuis un bon moment lorsque les camions prennent le chemin du retour avec à leur bord des hommes qui, le temps d'une journée, ont oublié leur misère. Hou s'est assoupi sur l'épaule d'Alx qui contemple la file de véhicules. Toujours sous l'emprise de l'alcool, le garçon à la gamelle cherche la bagarre en frappant sur tout ce qui bouge. Après les avoir repérés, il lance une poignée de cacahuètes en direction d'Alx et de son nabot. L'une d'elles atteint Hou qui se réveille en sursaut. Alx se lève, mais le petit le retient par la manche. Le grassouillet se met alors à rire, invitant le morveux à venir se mesurer à lui, avec ou sans son maître. Hou serre les poings. L'abruti commence à déblatérer. « Paraît que ta mère t'a fait avec un chien. Ça explique pourquoi tu bois dans les toilettes. Et ta sœur, j'ai entendu dire qu'elle aime bien les garçons. Tu veux bien me la prêter un soir ? » Il subit chaque affront sans dire un mot. Les insultes dérivent sur Alx qu'il injure en incluant toutes les générations qui l'ont précédé. « Il dessine plutôt bien pour un imbécile incapable de parler. » La révélation qui suit fait bondir Hou qui s'élance sur le grassouillet comme un lion sur sa proie. Ses yeux laissent échapper des larmes qu'il ne peut plus contenir. Alx réussit de justesse à l'attraper par la cheville. Son poing tendu cherche la riposte.

Arrivé à la commune, Alx porte Hou, trop épuisé par les évènements de la journée, et le dépose doucement sur sa couchette en se demandant ce qu'a pu dire le garçon à la gamelle pour le mettre dans un pareil état.

•

– On a pris mes bottes ! On a pris mes bottes !

Hou a beau crier, personne ne l'écoute. Il court dans tous les sens à la recherche de ses godasses, pendant que le dortoir se vide. En désespoir de cause, il en chaparde une vieille paire deux pointures trop grande, trouvée sous un lit, et fonce en direction des douches, mais se heurte à une porte barrée. Celles de l'entrée principale et de la cafétéria sont aussi verrouillées. C'est la première fois qu'il ne se présente pas aux douches en même temps que tout le monde. Quel sort réserve-t-on aux retardataires ? Il commence à frapper la porte du plat de la main, lorsqu'on bouge dernière lui.

– Tu es en retard, Hou, dit le garçon à la gamelle en faisant tourner un bâton.

Ne réalisant pas dans quel pétrin il se trouve, Hou se retourne vers la porte.

– Je sais ! Quelqu'un a pris mes bottes ! J'en ai trouvé une autre paire. Ouvre-moi vite. En courant, je rattraperai les autres.

– Tu crois qu'il rattrapera les autres ? demande le gros garçon à quelqu'un se tenant près de lui.

– Pas avec une jambe cassée, réplique un troisième.

– Qu'est-ce que vous faites ? Le gourdin manque sa cible. Mais, qu'est-ce que vous faites ? redemande Hou qui se met à courir.

Il n'entendra jamais la réponse. Le bâton s'abat sur sa clavicule. Une partie de l'os s'enfonce dans son muscle, l'autre perce sa peau. Le fémur lâche au troisième coup. Son bras plié derrière le dos prend une posture insolite. L'un des agresseurs tourne de l'œil en apercevant l'os, ce qui fait vaciller le troisième. Le garçon à la gamelle continue jusqu'à épuisement. Hou râle à peine, comme un chat blessé cherchant un coin pour mourir en paix.

Alx ne fait pas de cas de l'absence de Hou, toujours premier de file au déjeuner. Les travailleurs sont souvent réaffectés à d'autres tâches, ou prêtés quelques jours à une commune voisine.

Après le repas du soir, les ouvriers ont la charge de nettoyer les tables et le plancher. La vieille qui s'était occupée d'Alx le jour où on a pendu Lulu insiste pour qu'il prenne le balai et la suive dans l'arrière-cuisine. Elle l'accroche par le bras dès que les portes se referment et le conduit à l'infirmerie.

Alx ne peut retenir ses larmes en voyant ce petit corps recollé par des plâtres suspendus à des cordes. Quelle sorte d'animal pouvait s'en prendre à un petit garçon sans défense? Car il ne pouvait pas s'agir d'un être humain. Aucun être humain, même le plus vil, le plus cruel, ne ferait une telle chose. La cuisinière sort sur la pointe des pieds. Elle avait déjà pris trop de risque. Alx s'approche. Il veut lui faire sentir sa présence, mais n'ose pas le toucher. Hou entrouvre les yeux lorsque le plancher craque. L'analgésique a endormi le mal, mais cette pause ne durera pas. Son œil gauche tuméfié reste fermé sous l'enflure. Du bout des doigts, il fait signe à Alx de s'asseoir près de lui. Hou pointe de sa main libre un plat vide avec sa cuillère. Alx les lui remet, sans comprendre. Grimaçant de douleur, le petit réussit à joindre ses mains et à battre l'ustensile au dos du récipient. Le visage d'Alx devient d'une pâleur livide. Hou n'a pas fini. Il tire sur l'une des cordes libres accrochées au plafond et cherche à la glisser derrière sa nuque. Alx le regarde intensément, alors que Hou ramène la corde sous son menton pour en faire un nœud. La lumière ne se fait que lorsqu'il sort la langue.

Le batteur d'enfant et assassin de sa sœur vient d'être démasqué.

•

Le lendemain matin, le garçon à la gamelle, qui fait sa tournée dans le dortoir, se retrouve d'un seul coup assis sur son derrière bien rembourré, le front ouvert par une pelle. Le sang se répand entre l'œil droit et le nez avant d'atteindre sa bouche entrebâillée et de poursuivre sa descente jusqu'à sa poitrine. Il essaie de se relever, mais un pied le cloue au sol. C'est alors qu'il l'aperçoit. Pris de panique, il se roule par terre, tentant d'échapper à son agresseur qui marche tranquillement à ses côtés. Alx le tourne sur le ventre, puis le fait pivoter afin de le positionner face au mur où se trouve le portrait de Lulu et le gourdin utilisé pour tabasser Hou. Les yeux du garçon sortent pratiquement de leurs orbites en apercevant NA15 qui tire sur son épaisse crinière pour lui enfiler un bas de laine dans la bouche et ficeler ses mains derrière son dos.

Alx retrouve la corde, cachée pour l'occasion, puis monte sur une chaise et passe l'une des extrémités par-dessus la poutre centrale. L'autre, pourvue d'un nœud coulant, attend de remplir sa fonction. Le garçon à la gamelle gémit en faisant des bulles avec son nez plein de morve. L'heure des comptes est venue. Une fois le Chinois cravaté, Alx remonte sur la chaise, tend la corde et l'enroule autour de sa taille. Sa victime, le cou étiré, commence à chercher son air.

Alx attire son attention en frappant des mains. Il le salue d'un signe de tête et prend la position du plongeur. Sa proie n'a d'yeux que pour la corde qui va bientôt le pendre. Son tourmenteur le regarde une dernière fois avant de sauter dans le vide. La corde se raidit et fait monter le garçon qui bat violemment des pieds. Alx attend que les yeux du gros tournent au blanc pour donner du jeu et le voir s'écraser contre le plancher de bois. Les veines sur ses tempes palpitent. L'air s'engouffre dès que son bourreau retire la chaussette. Ses lèvres bleutées reprennent peu à peu leur couleur rosée. Après l'avoir retourné sur le ventre, Alx coupe ses liens et le regarde longuement, couteau en main, pour lui faire comprendre qu'il n'aura pas une seconde chance, puis le laisse, couché sur le plancher, les yeux remplis de terreur et le pantalon, d'excréments.

•

Le portrait du grand Mao, seul accessoire autorisé, domine la salle d'audience où deux chaises font face à une balustrade en bois, derrière laquelle trois hommes et une femme écoutent les doléances des parties.

Le représentant du plaignant ne se perd pas en discours inutiles. « Les faits parlent d'eux-mêmes », explique-t-il. L'accusé, qu'il traite d'espion pour faire bonne mesure, a tenté d'assassiner un serviteur de l'État dans l'exercice de ses fonctions et doit être puni en conséquence.

L'aîné du village voisin, supposé défendre Alx, présente une suite d'excuses, puis, présumant un amour lointain, blâme le jeune Chinois qui a provoqué son client en tuant symboliquement sa petite amie. Une réprimande serait à son avis un châtiment approprié.

Les plaidoiries terminées, le responsable baragouine quelques mots, puis se retire avec les autres dans l'antichambre. Le cortège revient dix minutes plus tard, jugement en main. On fait signe à l'accusé de se lever pour entendre le verdict. Alx évite la pendaison, mais est condamné à cinq années de travaux forcés. Ne comprenant pas un mot, il aurait réagi de la même manière si on lui avait annoncé qu'il entrait au bagne pour y égrener un chapelet long de 100 ans. Le comité se félicite d'avoir obtenu un jugement unanime, et de façon si expéditive. Il est vrai que sa décision avait été grandement facilitée par un porte-parole du gouvernement local qui les avait informés des complications pouvant survenir, si un représentant étranger venait à le repérer. « Personne ne le cherche », avait ajouté le fonctionnaire.

Quant au quasi-meurtre de Hou, c'était une autre histoire, un autre dossier.

Alx quitte la salle sous bonne garde avant d'être transporté jusqu'à la prison du village, située à une dizaine de kilomètres de la commune. Tandis qu'il regarde le plafond de sa nouvelle cellule et que sonne minuit, la terre se met à écouler son vingtième anniversaire de naissance. Personne, pas même le principal intéressé, ne s'en aperçoit. À l'autre bout du monde, un tremblement de terre ébranle le Mexique et libère une énergie 1 000 fois plus puissante qu'une bombe atomique.

# XII

La pluie s'est estompée et il est temps pour Peng de rentrer à la maison. Elle embrasse ses grands-parents et enfourche sa bicyclette.

– N'oublie pas ce que je t'ai dit, mon ange. Tu risques de t'attirer des ennuis si ton père...

– Ça ira, mamie, interrompt Peng. Ça ira.

– Et ne va pas trop vite.

La jeune fille, qui s'entête à afficher sa dissidence en portant un colifichet agrafé sous l'encolure de son costume, s'éloigne en tenant le guidon d'une main et en saluant sa grand-mère de l'autre. Figé dans les années 1960, ce modèle de solidité et de simplicité est équipé de roues surdimensionnées montées sur une ossature de char d'assaut, d'un pédalier à simple vitesse et d'une large selle derrière laquelle s'accroche un panier en broche. Fière et droite comme un paon, la poupée de porcelaine – c'est ainsi qu'on l'appelle malgré ses protestations – s'engage sur la route du village en poussant, de ses jambes effilées, les pédales qui braillent. Ses cheveux de jais se mettent à onduler sous l'effet de l'accélération. Maître temporaire de sa destinée, elle peut à sa guise augmenter ou ralentir la cadence, s'arrêter ou changer de direction. Mais une fois à la maison, elle redeviendra la figurine obéissante qui suit le chemin tracé pour elle depuis la naissance. Du haut de ses 17 ans, elle ne peut concevoir une vie se résumant à faire la belle et à espérer un jour enfanter un garçon.

La route de gravier tourne sur une pente qui se termine par une courbe abrupte, où des détenus en uniforme s'éreintent dans un caniveau. Elle passe le premier groupe en les ignorant. Un bagnard la siffle avant de la voir disparaître derrière une butte.

Le bruit d'une bêche attire son attention. Seul dans son coin, un homme au torse nu s'acharne sur une pierre. Sa peau est différente et ses cheveux sont de blé. Peng reconnaît le garçon de la ferme à qui elle a offert une pomme lors des célébrations printanières. Son air altier perd soudain de la prestance et sa respiration s'accélère sous l'excitation et la crainte d'être reconnue. Après être passée devant lui sans qu'il ne bouge, elle se retourne en espérant l'apercevoir. Au même moment, un morceau de bois en travers de la route fait dévier brusquement la roue avant en direction du canal. Le vélo plonge dans le vide et sépare la cavalière de sa monture.

Attiré par le cri, Alx tourne la tête juste à temps pour apercevoir une paire de jambes disparaître dans le caniveau. Il quitte le fossé sans se préoccuper du gardien qui se tient à bonne distance, préférant la compagnie de ses confrères et de son petit lit d'herbe fraîche.

Il soulève ce qu'il croit être un enfant et l'étend sur la montée avant de lui nettoyer sommairement le visage de ses mains. De la boue s'est retrouvée jusque dans sa bouche et ses narines. Ce sont d'abord ses pommettes, puis ses yeux qui, en s'ouvrant, la trahissent. Alx la reconnaît. Dans un moment de pudeur, il remet sa chemise et va chercher sa cruche d'eau pendant qu'elle crache des restes de vase. Après lui avoir servi un verre, il mouille un morceau de tissu qu'il lui tend en guise de serviette.

Trop embarrassé pour la regarder, Alx tourne son attention vers la bicyclette. Le siège pointe vers la gauche et les ailerons tordus coincent les roues. Il redresse la selle, redonne aux garde-boue leur aspect original et examine l'engrenage. La chaîne s'est brisée à trois endroits et plusieurs maillons manquent. À l'aide de sa lime, il défait l'épais fil de fer qui retient le panier à l'armature et le sectionne en morceaux de quelques centimètres. Il façonne ensuite les pièces avec le manche jusqu'à ce qu'elles aient la forme nécessaire. La bicyclette redevient fonctionnelle une quinzaine de minutes plus tard.

Peng l'observe pendant qu'il fait les réparations. Ses yeux noisette s'accrochent aux siens, tandis qu'il l'aide à se remettre en selle. Les deux corps s'effleurent avant de s'éloigner l'un de l'autre. Mus par une force invisible, ils se cherchent de nouveau. Sa main calleuse, qui tient le guidon, se trouve désemparée lorsque ses doigts touchent accidentellement les siens. La jeune Chinoise s'installe et reprend sa route sans se retourner.

*Peut-être se souviendra-t-elle un jour de cette mémorable plonge et du souillon qui l'a sortie du trou,* pense Alx en la regardant partir. Quelque chose à raconter autour d'une table, sans plus.

Au loin, un nuage de poussière se lève, annonçant la venue du fourgon. Alx redescend dans son caniveau, mais il est trop tard. Les geôliers qui l'ont aperçu sautent de la camionnette avant même qu'elle ne se soit immobilisée. Il reçoit sans se plaindre une sévère bastonnade.

Peng traverse le salon de la maison, monte l'escalier, puis disparaît derrière le rideau qui délimite sa chambrette. Son père, l'ayant aperçue du coin de l'œil, la fait revenir sur ses pas.

– Ma parole ! Dans quoi t'es-tu traînée ? demande Ku.

Peng examine ses vêtements.

– J'ai fait une chute, père, marmonne-t-elle, la tête baissée.

– Quand ce n'est pas une chute, c'est autre chose. Avec toi, il y a toujours quelque chose ! Va te laver et reste dans ta chambre.

Exaspéré par ses remontrances qu'il sait inutiles, Ku sort inspecter la bicyclette couverte de boue. « Elle aura besoin d'un mari habile et patient », maugrée-t-il en passant un chiffon sur la tubulure. Quelqu'un a redressé les ailerons, remarque-t-il. « C'est fini ! Plus de vélo ! » Des mailles en broches ont été ajoutées à la chaîne. C'est presque un viol. « Qui a osé ! » explose-t-il en s'approchant pour examiner la réparation. « Ridicule ! Ça ne tiendrait pas 100 mètres. » Les mailles sont bien tournées, mais de là à supporter la force d'un pédalier, ça, jamais !

Ku reste cependant curieux. Il regarde son atelier de l'autre côté de la rue. Pourrait-il s'y rendre ? Il n'y avait qu'une façon de le savoir.

– Peng ! Peng ! Viens ici immédiatement ! crie son père.

Sa femme, alarmée, le rejoint.

– Qu'y a-t-il ? demande la jeune fille d'une voix calme.

– Qui a réparé ta bicyclette ?

– Je l'ignore. Il travaillait dans les caniveaux.

– Un prisonnier ? presse-t-il. Peng ne répond pas. As-tu remarqué son matricule ? Elle n'ose parler. Il me faut cet homme ! Pourrais-tu le reconnaître ?

– Que veux-tu dire, père ? Elle s'étouffe, malgré l'effort.

Ku contient à peine son excitation.

– Comment a-t-il fait les maillons ? Quels outils a-t-il utilisés ?

– Une lime.

– Une lime ?

– Une lime.

– Rien qu'une lime, répète le fabricant de vélos, pour en saisir la signification. Une simple lime. Tu en es certaine ?

– Je l'ai vu faire le travail. Elle laisse son père se gratter la tête quelques instants, puis crache le morceau. 27224. Ku la regarde sans comprendre. C'est son matricule... Enfin je crois.

•

– Camarade Ku, croyez-vous vraiment ce que vous dites ? s'exclame le responsable de la prison, dont l'irritation est devenue apparente.

– Cher camarade directeur, il a fabriqué des maillons de chaîne parfaits avec un fil de fer et une simple lime. Il m'a fallu près d'une demi-heure pour les briser. Donnez-le-moi pendant trois mois. J'en ferai un bon communiste et nous aurons enfin les bicyclettes que nous méritons.

Regardant par la fenêtre, le gardien en chef annonce son prix.

– Il est beau, votre cyclomoteur, c'est à vous ?

– Il vous intéresse ? Tenez, je vous l'offre.

Le directeur sort et va s'asseoir sur la mobylette.

– Elle est confortable, n'est-ce pas ? C'est la plus puissante de sa catégorie.

– Bien. Vous serez garant de sa tête. Si elle disparaît, la vôtre suivra. Vous devrez également héberger le gardien qui ne le quittera pas d'une semelle. Nous nous reverrons dans trois mois.

Le lendemain après-midi, on sépare le prisonnier de son groupe. Il est embarqué menottes aux poings dans un fourgon qui descend le chemin de terre. Assis entre ses deux gardes, Alx croit être transféré dans un autre pénitencier. Le camion s'arrête une demi-heure plus tard devant une chaumière, à quelques pas d'une bâtisse de grandeur respectable.

« Faite-le sortir », ordonne Ku, surexcité. Alx est cloué au mur en touchant le sol, tandis qu'on le regarde avec stupéfaction. « Mais qu'est-ce que c'est que ça ? » Ku se met à frapper les gardiens avec sa casquette. « Un étranger ? Qui vous a permis de venir jeter vos déchets dans ma cour ? » L'un d'eux sort un papier sur lequel est inscrit le matricule. « Restez ici et gardez l'œil sur lui », rugit-il en montrant Alx du doigt.

Il ouvre la porte en criant le nom de sa fille. Peng, cachée derrière un rideau, apparaît.

– Est-ce lui ? crache-t-il en la poussant vers la fenêtre. Est-ce lui ? Un signe de tête confirme sa crainte. Un étranger ! Le salaud m'a envoyé un étranger ! s'exclame Ku, les bras au ciel.

– Essaie-le, père, tu n'as rien à perdre, conseille-t-elle.

– Trop tard pour reculer. Il m'a déjà coûté un cyclomoteur ! À la moindre incartade, je le retourne dans son trou à grands coups de pied au cul, avertit Ku, humilié de s'être fait avoir.

Alx est enfermé avec son gardien dans les combles de l'atelier, où l'on a installé deux paillasses. De l'autre côté du chemin, Peng ne parvient pas à trouver le sommeil. Une vingtaine de mètres seulement la sépare du blond aux yeux bleus.

La brume matinale commence à se dissiper lorsqu'une douzaine d'employés franchissent la porte de l'atelier en se bousculant. Ku ramène l'ordre et attend que la troupe s'aligne avant de leur adresser la parole. Au signal entendu, un gamin descend du grenier, suivi d'Alx et de son gardien. Stupéfaits, les jeunes examinent l'étranger pendant que Ku donne ses instructions. Alx regarde à son tour ces garçons habillés de salopettes marine et de tabliers. Les odeurs que dégage l'atelier lui rappellent la station-service de l'Anse-aux-Bernaches. Si certains sourient, la plupart paraissent effrayés, comme si un mauvais sort venait de leur tomber sur la tête. Le propriétaire ordonne au plus vieux d'emmener le nouveau au poste d'assemblage des tubulures, et de lui montrer les rudiments du soudage.

Il maudit à voix basse son impulsivité, qui lui a coûté un cyclomoteur presque neuf.

•

Alx montre rapidement ses aptitudes. Il manipule la torche avec une remarquable habileté, capable de faire des soudures d'un seul trait et sans bavure. Même Ku n'arrive pas à atteindre ce degré de perfection, ce qui n'est pas peu dire. Il passe ensuite à l'assemblage des pédaliers, puis au montage des vélos, où il apprend vite et bien, imitant les autres qui, à leur tour, commencent à s'en inspirer. La qualité de son travail rassure Ku, mais ses intentions, si elles étaient connues, auraient de quoi inquiéter.

Le projet « Grande évasion » prend forme. Il ne s'agit pas de creuser un tunnel pour échapper aux nazis, mais de fabriquer un vélo ultraléger et facilement démontable. L'Inde et la Birmanie sont quelque part au sud-ouest, à des milliers de kilomètres de Chengdu. L'idée de franchir pareille distance sans être pris est saugrenue, mais il garde espoir en se disant que si l'homme n'avait jamais rêvé de marcher sur la Lune, il ne s'y serait pas rendu. D'abord construire la bicyclette, puis franchir le premier kilomètre. On verra pour la suite. Plusieurs pièces s'entassent déjà dans un tiroir oublié. Cette épreuve, qui commencera bientôt, sera sa dernière. Ou il la surmontera, ou il périra en essayant.

La nouveauté finit par ne plus intéresser personne, sauf Peng qui l'observe en cachette depuis son arrivée. Elle s'évanouit presque lorsque son père l'envoie en mission. « Voici l'adresse et le nom du marchand. Rapporte l'outil et remets-le à l'étranger. »

Le retour se fait dans une lenteur agonisante. Elle a beau essayer de se convaincre qu'après tout, il s'agit d'une simple livraison à un employé de son père, rien n'y fait. Ses jambes refusent de se raidir, ses mains demeurent moites et son visage bouillant trahit un sentiment qu'elle n'ose s'avouer.

Alx est à marteler un garde-boue lorsqu'une ombre apparaît à ses côtés et le change en statue de sel. Peng tend l'objet au garçon, qui est incapable de lever le petit doigt. Elle dépose finalement l'outil sur la grande établie souillée d'huile et de graisse, puis fait demi-tour. Alx l'escorte du regard. Elle contourne quelques tables, enjambe un amoncellement de pièces et s'arrête devant son père, occupé à examiner une tubulure fraîchement peinte. Elle lui chuchote quelques mots avant de l'embrasser sur la joue et de prendre congé.

Quinze têtes se tournent d'un seul coup lorsqu'Alx échappe son marteau sur un amas de tuyaux. Ses mains, pourtant si sûres, l'ont abandonné. Des rires montent, donnant du fil à retordre au propriétaire qui menace de discipliner les délinquants.

La vue de Peng l'ébranle chaque fois, comme une brousse desséchée qui s'embrase. Il éteint rapidement le brasier en reportant son attention sur l'assemblage de son moyen d'évasion. Bientôt, elle ne sera plus qu'un souvenir qu'il emportera de l'autre côté de la frontière. À moins que ce ne soit dans sa tombe.

•

Ku est hors de lui.

– Vous ne pouvez pas me faire ça ! gueule-t-il au directeur de prison.

– Oh ! Que si, cher camarade.

– J'ai fait tout ce que vous m'avez demandé, j'ai hébergé et nourri votre gardien et je ne l'ai jamais quitté des yeux, même dans les toilettes, j'ai...

– Tu as une fille, n'est-ce pas ? lâche le directeur qui connaît la réponse. Ku pâlit. Heureusement, la suite arrive avant qu'il n'ait la chance d'ouvrir la bouche. Eh bien, moi aussi j'en ai une, figure-toi donc. Une belle et capricieuse fille qui fêtera bientôt ses 16 ans. Le petit ange voudrait bien avoir un cyclomoteur...

– Et elle en aura un ! lance le manufacturier qui respire déjà un peu mieux.

Cinq minutes plus tard, Ku relit la liste des nouvelles conditions :

1) L'étranger ne devra quitter l'atelier sous aucune considération, sauf pour le point 2.

2) L'étranger devra se présenter à la prison tous les lundis et les vendredis matins, au coup de 8 heures.

3) L'étranger devra s'engager sur la voie correcte. Le responsable de la prison vérifiera lui-même ses progrès.

L'entente est scellée d'une poignée de main. Aux yeux de Ku, un accord entre deux hommes est plus sacré que les liens du mariage. Le responsable de la prison a bien l'intention de tenir son engagement, le temps de recevoir son cadeau. Le préfet du Hunan lui rendra bientôt visite et l'étranger figure à l'agenda. Il risque de se faire drôlement savonner si le petit accommodement vient à se savoir.

De retour à la maison, Ku explique l'arrangement à sa femme, et son plan pour s'y conformer.

– Ta propre fille ? En compagnie d'un criminel ? Mais tu es fou !

– Pas question de me départir d'un ouvrier pour l'accompagner. Et puis, elle ne sera pas seule avec lui, il y aura son gardien.

– Il est fou ! murmure-t-elle de nouveau.

Il fait venir Peng au salon pour tirer la chose au clair. Sa mauvaise humeur lui sort par les pores. L'oreille collée au soupirail, elle a tout entendu et remet son sort entre les mains des grandes instances.

Ku n'a plus la patience de tergiverser.

– Crains-tu l'étranger ?

Elle rougit, désarçonnée par la question.

– Ne vois-tu pas qu'elle est effrayée ? intervient sa mère.

– Je n'ai pas peur de lui, réplique-t-elle en se pinçant le bras pour ne pas flancher.

– Je veux que tu l'accompagnes à la prison avec son gardien, tous les lundis et tous les vendredis. Tu devras être vigilante, ces escrocs sont capables de me le foutre en tôle pour m'extorquer un autre cyclomoteur.

Il retourne à son atelier sans attendre la réponse. C'est, de toute façon, un ordre qu'elle entend bien respecter.

•

Peng refuse d'accélérer le pas malgré le froid intense et le vent qui fouette son visage. Pour les mêmes raisons, Alx tire au flanc en espérant faire durer le voyage. Maudissant chaque excursion, le gardien alterne entre les menaces et les supplications, mais rien n'y fait. La paire continue d'avancer à pas de tortue, dans un silence complice. Abdiquant devant les traînards, le garde change de stratégie, franchissant à bonne allure la distance pour les attendre en grillant une cigarette.

Un ciel de bon augure apparaît après sept jours pluie, ce qui met un peu de baume sur la morosité des habitants qui regardent le détenu et son accompagnatrice traverser le village. Personne ne remarque la distance qui les sépare, une distance qui s'amenuise chaque jour.

Une voix caverneuse fait écho lorsqu'ils croisent la troisième borne kilométrique. Accrochant Peng par le bras, Alx presse le pas en apercevant trois têtes qui sortent du caniveau, comme des chiens de prairie de leur tanière. L'un d'eux reconnaît l'étranger et se répand en invectives, imité bientôt par les deux autres. Les voix se rapprochent. Alx tire sur la manche de Peng, mais tout se déroule lentement, trop lentement. Les loups doublent leur proie avant de faire volte-face. Ils sont armés de pelles et ils ont faim. Ça fait longtemps qu'ils n'ont pas vu une femme. Le gardien qui les a devancés est hors d'atteinte. Personne n'entendra les cris. Alx serre la main de Peng, la suppliant de foutre le camp, de courir sans se retourner. Elle refuse. Il la pousse, elle se presse contre lui. Il s'en sépare et fait un pas vers les loups qui s'approchent. Trois pelles contre deux mains. L'affrontement est inégal et de courte durée. Le premier coup l'agenouille, le second le couche. Le plus lâche des trois, qui a l'habitude de recevoir plus qu'il ne donne, s'assure qu'Alx est bien hors de combat avant de s'en prendre à lui. Les deux autres portent leur attention sur la jeune beauté qui se tient debout, les poings fermés. La surprise et l'orgueil camouflent mal la douleur du premier qui s'est avancé. La petite fleur lui a fendu la lèvre supérieure dès qu'il a été à portée. Ils réussissent à la maîtriser en lui sautant dessus. L'un s'en prend à sa poitrine, pendant que l'autre s'intéresse à son entre-jambe. Un coup de feu se fait entendre au même moment. Le chaperon, qui a rebroussé chemin, accourt en tirant en l'air. Les bagnards n'attendent pas la suite pour déguerpir.

Alx gît inconscient. Une nappe de sang se forme sous sa tête, tandis que Peng essuie son visage avec le rebord de sa blouse en lui adressant de vaines supplications. « Réveille-toi ! Je t'en prie, réveille-toi ! » Un fourgon arrivé en trombe, arrête à sa hauteur. Le conducteur abaisse sa fenêtre et crache avec dédain en sa direction avant de poursuivre sa route, à la recherche des trois détenus.

Elle continue d'essuyer son front en lui murmurant des excuses. Alx entend une sorte de bourdonnement dont le va-et-vient ressemble à des vagues. Il ouvre les yeux, mais les images qui défilent l'étourdissent. Peng est devant lui, pleurant et souriant à la fois. Il perd de nouveau connaissance sans l'avoir reconnue.

•

Alx ne se souvient pas d'avoir gravi l'échelle menant au grenier. Il ne se souvient pas non plus de s'être blessé. L'intense douleur le ramène à la réalité.

Ku fait une sainte colère en apprenant ce qui s'est passé. D'abord à la maison, ensuite au bureau de la prison. « Une erreur ? Une erreur ? Vous me prenez pour un imbécile ? »

Ne croyant pas à son propre mensonge, le directeur reste bouche bée.

14 points de suture au cuir chevelu, 22 le long du dos et 12 en travers du thorax. Le docteur a fait du bon travail et les tranquillisants lui permettent de somnoler durant de courtes périodes.

Peng convainc son père qu'elle est en partie responsable de ce qui s'est passé et, de ce fait, elle doit aider l'étranger à se remettre sur pied. Ku n'est pas chaud à l'idée, mais il ne voit pas de meilleur moyen pour récupérer son travailleur au plus vite.

Trois fois par jour, Peng se rend au grenier avec une soupe, du thé vert et du riz. Elle l'aide à manger, puis à s'endormir en lui fredonnant de vieilles chansons, sa main serrée dans la sienne. Alx n'est pas pressé de guérir. Les moments en compagnie de Peng valent toutes les douleurs.

« L'étranger est très talentueux, dit Ku en tirant sur sa pipe. Et courageux. Dommage qu'il soit de la mauvaise couleur. Il aurait fait un bon fils. » Une assiette se fracasse au même moment dans la cuisine, où sa femme prépare le souper.

# XIII

Plus conciliant depuis le passage à tabac du garçon et après avoir appris que le préfet du Hunan, pris la main dans le sac pour une affaire de corruption ne viendra pas le voir de sitôt, le directeur de la prison reconduit sans rechigner l'entente, au grand bonheur de Ku qui remet Alx sur la ligne de production.

Ne voulant pas se séparer de lui, Peng trouve un moyen de prolonger ses services. « L'étranger sera sûrement un meilleur employé s'il comprend les rudiments de notre langue », suggère-t-elle à son père, qui trouve l'idée excellente.

Alx n'est pas le seul à avoir remarqué la fille du fabricant. D'autres garçons du même âge voudraient bien s'en approcher, mais elle ne semble avoir d'yeux que pour ce diable. L'un d'entre eux consulte la mère de la belle, qui le rassure et lui expliquant que c'est par charité qu'elle aide ce simple d'esprit, une charité qui, d'ailleurs, tire à sa fin. *N'empêche qu'ils passent beaucoup de temps ensemble,* se dit-elle. *Il y a peut-être anguille sous roche.* Elle serait estomaquée si elle apprenait qu'Alx a tendu un long fil à pêche, de la fenêtre du grenier jusqu'à celle de Peng. Ils communiquent en pinçant le fil jusqu'à tard dans la nuit, chacun refusant à l'autre le dernier coup.

Peng enseigne à Alx les rudiments du mandarin. Avec un bloc-notes, il l'aide à parfaire son français, dont elle possède déjà quelques notions.

Au travail du jour se succèdent les soirées où, cachés derrière le bâtiment, ils feuillettent ensemble une encyclopédie universelle empruntée à la bibliothèque de l'école. Sur des bouts de papier, Alx couche des bribes de son histoire retrouvée, remontant le fil du temps comme un Petit Poucet. Il parle de Lulu, une fille au grand destin qui exercera un jour une profession libérale, de ses cousins partis au bout du monde à la recherche de métaux précieux, et de son père qui pensait différemment. Elle lui parle à son tour de ses grands-parents paternels qu'elle adore et qui la soutiennent dans tous ses rêves, de son désir d'aller à l'université et de son amour des enfants.

•

Seulement quatre jours séparent leurs anniversaires de naissance. Peng le rejoint en fin de journée derrière le bâtiment attenant à l'atelier pour une célébration commune. Alx n'ose pas ouvrir la boîte enveloppée dans du papier de soie diapré, déposée sur ses genoux. Serrée contre lui elle glisse une paire de ciseaux entre ses mains, et d'un coup de coude, l'enjoint à couper le ruban.

Le cartable est recouvert d'un tissu bleu ciel découpé dans une robe qu'elle portait enfant. Sur les cinq premières pages sont collés tous les petits papiers qu'il lui a donnés. Elle dépose une boîte de stylos sur le cahier. « N'arrête jamais de m'écrire », dit-elle d'une voix empreinte d'émotion.

Alx l'embrasse sur la joue et lui file un billet entre les doigts. « Personne ne doit savoir. » Elle le regarde, intrigué. Il prend sa main, lui demande de fermer les yeux, puis l'entraîne dans le bâtiment qu'éclaire une chandelle.

Après l'avoir aidée à s'asseoir, Alx dégage un amas de planches contre l'escalier, ouvre la porte du cagibi et sort le résultat de cinq semaines de travail pendant que tout le monde dormait.

Il redessina la structure pour convertir le monoplace en tandem. En mélangeant des restes de peinture, il obtint un dégradé qui passe du marine au blanc. Leurs noms apparaissent en filigrane sur les montants. Celui de Peng est écrit en mandarin.

Elle examine la chose avec étonnement. Le vélo possède deux pédaliers, deux selles et deux guidons. Alx l'invite à prendre place derrière lui. Pendant plusieurs minutes, ils dévorent les kilomètres imaginaires, traversant des paysages remplis de fleurs qui embaument, de ruisseaux qui coulent et d'oiseaux qui chantent.

Le sourire de la jeune fille disparaît et une bouffée de chaleur l'envahit lorsqu'il lui fait comprendre qu'il ne s'agit pas d'une bicyclette, mais d'un moyen d'évasion.

•

La femme de Ku refusait de se laisser envoûter par le talent et le charme exotique de l'étranger. C'était un diable qui manipulait sa fille pour arriver à ses fins. Il était dans la fleur de l'âge, et beau dans sa différence. Peng était une proie facile. *Ses intentions ne peuvent être honorables,* se disait-elle. Chose certaine, il fallait s'en débarrasser.

Le garçon chargé de les épier attend qu'elle soit dans le jardin pour lui faire son rapport. Ils s'étaient cachés derrière l'atelier et s'étaient embrassés à maintes reprises. Elle lui avait offert une boîte avec des crayons, avant de disparaître en sa compagnie dans le cabanon désaffecté. Ils en étaient ressortis une demi-heure plus tard.

Elle congédie son rapporteur, trop jeune pour comprendre les choses de la vie, et se rend sur les lieux du crime.

L'odeur parfumée de la chandelle est encore présente lorsqu'elle entre. Les fenêtres souillées de poussière donnent une teinte cendrée à la lumière du jour. Elle aperçoit des traces de pas sur le plancher. Les petites empreintes s'arrêtent tout près d'un banc, les plus grandes se dirigent vers le cagibi.

Le tandem lui paraît hideux, comme ces enfants à deux têtes que l'on voit à la télé. Sa couleur est provocante et les selles, étroites et allongées, sont obscènes. Le nom de sa fille, inscrit sur la tubulure, la jette par terre.

•

Le lendemain après-midi, deux gardiens munis d'une lettre officielle frappent à la porte des Hung. En l'absence de Ku, parti livrer trois bicyclettes à l'une des fonderies, c'est sa femme qui les accompagne à l'atelier. Alx est accusé d'avoir violé la fille du propriétaire et de l'avoir terrorisée pour qu'elle ne parle pas. Il est menotté et jeté dans le fourgon qui reprend la route. Le véhicule croise Peng, retournant d'une visite chez ses grands-parents. Elle traverse le seuil de la porte comme une flèche, à la recherche de quelque chose qui contredira son pressentiment. Investie de tous les droits, sa mère lui annonce avec un plaisir à peine voilé que l'étranger est parti et qu'il ne reviendra pas. Ses yeux, posés avec dédain sur sa fille, attendent le geste, le mot, qui donnera libre cours à sa colère, une colère qu'elle accumule depuis des mois. Mais rien ne se passe. Peng monte à sa chambre et disparaît sous les draps, jurant de mourir si celui qu'elle aime lui est enlevé.

C'était la première fois que sa mère lui parlait ainsi. C'était aussi la première fois qu'elle avait toutes les cartes dans son jeu. Ku avait immédiatement reconnu sa bonne fortune en voyant le tandem. Il ne lui restait qu'à le démonter, puis à le reproduire pièce par pièce en faisant quelques améliorations cosmétiques pour mieux dormir la nuit. Dans six mois, un an peut-être, on l'inviterait à Pékin pour recevoir une médaille.

Alx est de retour au bagne, sans savoir pourquoi. Il passe les quatre jours suivants dans un trou sans fenêtre. Le jour et la nuit se fondent en une seule et même noirceur où se manifestent des apparitions. Peng s'assoit sur le bord du lit, ouvre son encyclopédie et montre du doigt des images de l'Anse-aux-Bernaches. Puis le bruit des bottes sur le plancher de béton, ce bruit qu'Alx croyait ne plus devoir entendre, fait fuir le spectre.

•

Le matin du cinquième jour, trois gardes sortent Alx de sa cellule pour le faire monter dans la boîte d'un fourgon. À travers une déchirure dans la bâche, il entrevoit la façade du pénitencier qui rapetisse lentement, avant de disparaître derrière une colline. Le soleil à sa gauche confirme qu'il s'éloigne de la maison des Hung.

Ennuyés par la routine, les gardiens ne prêtent pas attention au prisonnier qui, en apparence, dort. Derrière ce calme trompeur, Alx calcule ses chances, mesure le risque. L'occasion se présente d'elle-même, lorsqu'une discussion animée entre deux gardes dégénère. Le match de boxe se transforme en bagarre générale quand le troisième essaie de séparer les belligérants et reçoit une claque en pleine figure. La mêlée se déplace d'un côté à l'autre et finit par s'écraser sur Alx qui profite de la confusion pour faire le grand saut. Un cri à moitié étranglé arrête les combats. Le prisonnier vient de plonger dans le vide.

Le gravier qui défile à 80 kilomètres à l'heure lui fauche les jambes. Son genou droit frappe sa mâchoire, tandis qu'alternent, comme dans un flash, le ciel et la terre. Il termine sa chute dans le talus. Le crissement des freins lui rappelle que chaque seconde compte. Le souffle coupé, il réussit à se traîner hors du canal pour disparaître dans un champ de maïs, rampant entre les longues tiges jusqu'à ce qu'il s'effondre, vidé de ses forces. Les gardiens se mettent à battre frénétiquement la graminée de leur matraque, s'accusant l'un l'autre d'être le responsable de la catastrophe. Un bâton frôle plusieurs fois la tête d'Alx, sans le toucher.

Les hommes ratissent les environs pendant plus d'une heure. Le diable d'étranger demeure introuvable. Après un bref conciliabule, l'un d'entre eux se dirige vers le conducteur qui roupille derrière son volant, et le crible de balles. Il balance ensuite son Tokarev dans un égout tout près et prend celui du chauffeur, éliminant ainsi l'arme du crime.

Les gardes s'assoient dans la benne et complètent leur histoire. Après l'avoir détaché pour qu'il puisse se soulager, le détenu a attaqué son accompagnateur et a réussi à lui subtiliser son pistolet. Après lui avoir sommé de reprendre sa place sur la banquette, il a vidé son chargeur. Conformément au règlement, les autres gardes n'ont pas quitté le fourgon, jusqu'à ce qu'ils entendent les coups de feu, mais il était déjà trop tard. Le prisonnier s'est enfui et malgré les recherches intensives, il est demeuré introuvable. C'est du moins l'histoire qui figurera dans le rapport officiel.

Le monstre est devenu plus monstrueux.

•

Il est trois heures du matin lorsqu'Alx rassemble assez de courage pour explorer les environs. Hommes et chiens seront bientôt de retour. Il se glisse dans le caniveau et se met à marcher sous le clair de la lune. Le canal se joint à un autre, puis à un troisième encore plus large et plus profond. L'eau fétide lui monte à mi-jambe. Il erre au milieu des immondices pendant près de deux heures, s'enfonçant à chaque pas dans une boue verdâtre, jusqu'à ce qu'il gagne la sécurité précaire d'une bâtisse abandonnée dans un champ de blé. Parmi les vestiges se trouvent une vieille salopette qu'il enfile sans faire de bruit et un képi sans visière, lui permettant de camoufler ses cheveux. Il ramasse une grosse bêche rouillée et reprend sa route le long du caniveau, se mettant à piocher chaque fois que passe un promeneur. Il marche ainsi jusqu'aux abords du village où il se cache pour attendre le couvert de la nuit.

L'atelier lui apparaît derrière une butte, comme une cathédrale dominant les environs. Il traverse trois lots séparés par de petits ruisseaux avant d'atteindre la bâtisse. La fenêtre de coin, toujours entrouverte, semble l'attendre. Alx gravit l'échelle menant à ce qui était encore, une semaine auparavant, son refuge. Son cartable, couché sur l'oreiller, l'attend.

Après avoir enlevé ses hardes, il s'approche de la fenêtre et pince le fil qui l'unit secrètement à Peng. Rien ne bouge. Brisé par la fatigue, il retourne à sa couche, résolu à passer sa dernière nuit d'homme libre le plus près possible de celle qu'il aime. Le sommeil commence à l'emporter lorsque le fil se met à sautiller. Les coups, faibles et sans conviction, obéissent à une triste routine. Alx bondit du lit et frappe si violemment le fil qu'il le casse. Moins d'une minute plus tard, une porte s'entrouvre et laisse entrer ce qui ressemble à un ange vêtu d'un peignoir blanc. Il glisse sur l'échelle sans toucher un barreau. Peng l'attend déjà. Elle se faufile entre ses bras et l'étreint de toutes ses forces, cherchant à comprimer sa douleur, contre lui. Son corps se met à trembler, puis à gémir. À ses sanglots se mêlent de petits chuchotements reniflés. Elle refuse de lâcher prise, craignant de perdre à nouveau son amoureux. Alx tient entre ses mains son Graal enfin retrouvé.

« Nous devons partir », finit-elle par dire, ses yeux perdus dans les siens. « Nous serons à pied. Je t'expliquerai. Repose-toi, je reviens. » Elle retourne à la maison pour ramasser vêtements et provisions.

•

Alx ne peut s'empêcher de sourire lorsqu'il l'aperçoit vêtue d'un large pantalon, de bottines à la Charlie Chaplin et d'une chemise trois fois trop grande. Son galurin, gonflé par ses longs cheveux, flotte sur sa tête. Elle s'est même couvert le visage de suie pour compléter son déguisement de personnage de rue.

Sur l'aurore qui se dessine, deux silhouettes enjambent une première clôture dans l'espoir d'un avenir meilleur. Peng évite de se retourner, de peur de flancher. Ils se joignent bientôt à un groupe de sans-abri qui longe la route en quête de pitance.

•

Quelques fleurs sont accidentellement piétinées, alors que les deux fugitifs se faufilent le long de la maisonnette. « Grand-maman ! Grand-maman ! Lève-toi. C'est moi, Peng. J'ai besoin de ton aide », souffle sa petite-fille à la fenêtre. Les planches de la cuisine craquent et un rideau s'ouvre à moitié, faisant apparaître une tête échevelée. « C'est moi, Peng. Laisse-nous entrer avant qu'on nous aperçoive. » La porte s'entrebâille. « C'est lui, grand-mère, c'est le garçon dont je t'ai parlé. Tu dois nous aider à nous rendre à la ville. » La femme semble confuse. Peng lui prend la main. « Mamie, c'est moi, ta petite-fille adorée. Aide-moi, je t'en prie. » Ses yeux se mettent enfin à cligner. Elle retrouve ses sens et s'assoit sur le sofa.

– Que se passe-t-il, mon enfant ? demande-t-elle en essayant de rester calme.

– On l'accuse de m'avoir agressée. C'est faux, grand-maman ! Il sera pendu si on l'attrape. Je l'aime, mamie, et il m'aime aussi. Aide-nous, je t'en prie, aide-nous, implore Peng.

– Emmène-le dehors, derrière la véranda. Lave-toi le visage et va réveiller ton grand-père. Ne lui dis rien, vaut mieux que ce soit moi qui lui explique.

Peng prend la main d'Alx et le conduit dans la petite cour arrière.

Le grand-père écoute en silence. Peng compte plus que tout pour lui et rien n'est trop grand pour son bonheur. Il rejoint Alx et lui tend une main chaleureuse. Quelques minutes plus tard, tous sont autour de la table à discuter en buvant du thé vert.

Blanc comme un drap, Alx essaie de suivre la conversation, mais ses yeux peinent à rester ouverts et son front perle de sueur. Pris de vertige, il cherche la main de Peng avant de s'effondrer sur le sol.

On l'étend sur le canapé, malgré ses protestations. La grand-mère lui touche le front. « Il est bouillant et ses vêtements sont trempés. Aide-moi à le déshabiller », dit-elle à Peng.

Ils lui retirent ses bottes et son pantalon, maculés de boue. La vieille recule d'un coup, comme poussée par une force invisible, après avoir enlevé son bas gauche. Elle porte la main à sa bouche.

– Regarde ! s'écrie-t-elle, regarde la chaînette ! La chaînette !

Son mari replace ses épaisses lunettes et s'approche. Il grimace en voyant l'objet. « Mais qui est ce garçon ? » demande-t-il en fixant Peng, les mains sur les hanches. Elle se met à raconter la saga d'Alx et sa rencontre avec Minh, le cuisinier du Médusa, qui lui a offert le bracelet en question.

– C'est pour le protéger, conclut-elle.

– Il ne l'a pas volé, tu en es certaine ? s'enquiert le grand-père pour la troisième fois.

– Je te le jure, papi. Mais qu'a-t-elle donc de si particulier, cette chaînette ?

Il détache le bijou et l'étend dans le creux de sa main. Sa tête oscille de gauche à droite, refusant de croire. Après l'avoir examiné pendant de longues minutes et s'être convaincu que ce qu'il tenait entre ses doigts était bien ce qu'il croyait être, il regarde sa femme qui lui fait signe de parler.

– Tu vois la petite croix au centre ? Elle est entourée de six ovales inclinés à droite, et de six autres inclinées à gauche. C'est difficile à voir à l'œil nu, mais dans chaque ovale, il y a le visage d'un homme. Le serpent au pied de la croix symbolise la protection. C'est l'effigie d'une grande et puissante dynastie vietnamienne qui a régné pendant des centaines d'années. Ses membres ont été exterminés lors de l'insurrection communiste. Un petit groupe qui s'était enfui dans la forêt a été rattrapé et massacré. Quelques enfants ont été sauvés par des paysans, puis sortis du pays, cachés dans des bottes de foin. Je... Je..., le vieil homme ravale sa salive. Personne ne savait, sauf sa femme... Je suis l'un d'eux, ajoute-t-il.

– Mais... mais, papi, tu es Chinois, tu es né Chinois et tu mourras Chinois ! objecte Peng.

C'est alors qu'il relève le bas de son pantalon et découvre une chaînette identique à celle que porte Alx. Lorsqu'il avait quatre ans, un médecin particulièrement habile avait retravaillé son nez un peu trop épaté et étiré ses yeux afin d'en faire un Chinois du Sud. Il en porte encore les marques.

– Ma chérie, commence sa grand-mère, ce que tu viens d'entendre n'est connu de personne, pas même de ton père. Ton grand-père est Vietnamien. Il est, lui aussi, un étranger.

– Un étranger... Un étranger... répète Peng, qui cherche à saisir la portée de l'aveu. Les autres la regardent en silence, comme dans l'attente d'un verdict. Un étranger... papi est un étranger... marmonne-t-elle. Elle relève la tête et se tourne vers son grand-père qui appréhende la suite. « Tu es un étranger, papi, tu es un étranger. C'est... c'est merveilleux ! »

•

Tard dans la nuit, un courrier cogne à la porte avec deux passeports fraîchement imprimés. Le grand-père avait dû tirer un nombre considérable de ficelles et payer le gros prix pour obtenir les faux papiers en un temps record. Peng paraissait plus vieille sur la photo. Les documents d'Alx ressemblaient étrangement à ceux que lui avait fabriqués le calligraphe.

Ils bouclent les valises et prennent la route.

– J'ai compris, papi, maugrée Peng.

– Je veux l'entendre de nouveau.

Elle récite l'itinéraire une cinquième fois, sans manquer un détail.

– Bien. N'oublie pas, tu dois t'exprimer devant les douaniers avec fermeté, et sans hésiter. Polie, mais ferme. N'en dis pas plus qu'il n'en faut. Et surtout, surtout, cache bien la chaînette jusqu'à ce que tu sois de l'autre côté. Rappelle-toi qu'elle se porte à la cheville gauche.

Il est à la fois inquiet et fier à l'idée que le sang de son sang porte désormais le symbole de sa famille disséminée. La leçon se poursuit jusqu'à l'arrivée.

Après avoir garé la voiture près du marché public, ils se mettent à arpenter les lieux, histoire de dissiper la nervosité et d'acheter quelques provisions avant le départ du train. Les deux hommes se suivent, l'un derrière l'autre, chacun tenant la main de son amoureuse. Peng n'a jamais été aussi heureuse.

# XIV

Alx regarde Peng qui sommeille paisiblement, blottie contre son épaule, tandis que le train traverse un village au ralenti. Il s'explique mal son assurance. Comment peut-elle s'abandonner à lui ? Ne comprend-elle pas qu'en un clin d'œil, l'objet de son affection peut devenir celui de sa perte ? *Le risque est trop grand,* se dit-il en massant la base de son cou tendu par l'angoisse et la fatigue. *Le risque est trop grand.*

Sa vie n'est qu'un chemin parsemé d'embûches et de contraires. Après avoir survécu à l'enfer et souhaité la mort, il doit maintenant se sacrifier pour sauver sa raison de vivre. Il ne sait pas encore comment, mais il doit se rendre aux autorités en espérant qu'ils laisseront Peng tranquille... et qu'ils le tueront plutôt que de le laisser pourrir dans un cachot.

Il ferme les yeux sur cette dernière pensée et se met à compter les heures qui n'en finissent plus.

Le long chemin de croix se termine à la gare frontalière de Ningming. Malgré leurs papiers en règle, les deux jeunes d'apparence suspecte ne réussissent pas à convaincre les douaniers. Un débat s'ensuit derrière le comptoir.

– On les fout au cachot, grogne l'inspecteur de faction qui enverrait au trou tous les Chinois osant quitter, ne serait-ce qu'un moment, le valeureux pays.

– Ça m'embête, répond le responsable. Les passeports et les visas sont en bonne et due forme, et le garçon pourrait très bien être le fils d'un diplomate. Si c'est le cas et qu'on l'enferme...

– On pourrait le laisser passer sans sa pute, réplique l'un d'eux.

– C'est une bonne idée.

Quelques minutes plus tard, un jeune fonctionnaire se présente dans la salle d'attente avec les papiers d'Alx. Il jette les documents estampillés à ses pieds, puis fait signe à Peng de le suivre.

– Où est mon passeport ? demande-t-elle.

– Il peut partir, répond le douanier.

– Donnez-moi mon passeport, ordonne Peng d'une voix ferme.

– Vous n'êtes pas autorisé. Il peut partir.

Peng s'approche du garçon pas plus vieux qu'elle pour lire son insigne et son immatriculation.

– Douanier Zhi, matricule 205536. C'est noté. Faites comme il vous plaira, mais je ne donne pas cher de votre peau si l'étranger qui, je vous le rappelle, est le fils d'un diplomate apprécié par notre pays, traverse la frontière sans moi. Une goutte de sueur s'échappe du képi et descend le long de sa tempe. Elle le tenait. Il y aura des conséquences que vous et vos abrutis de collègues ne pouvez imaginer. Peng le regarde franchement dans les yeux et pousse l'audace. Douanier Zhi, je vous mets au défi de le laisser partir sans moi. Votre tête et celle des autres rouleront.

Ces derniers mots finissent de l'ébranler. Il reprend les papiers et retourne au poste de garde. Après avoir savonné son inspecteur, le grand patron prend la relève.

– Mais pour qui vous prenez-vous? lance-t-il à Peng en franchissant la porte, le torse bombé.

– Ma parole, vous voulez tous mourir!

Le responsable fait demi-tour en moins de cinq minutes, la queue entre les jambes. Le goulag n'est pas l'endroit où il envisage de finir sa carrière. Elle ment probablement, mais il n'a pas envie de jouer à la roulette russe, pas à son âge. Un troisième inspecteur vient à sa rescousse.

– Passons-les aux Viets. Ils nous en débarrasseront et personne n'aura à faire de rapport.

– L'idée n'est pas bête, répond un autre. Cette petite vendue qui prétend accompagner un étudiant étranger aura ce qu'elle mérite.

Le douanier savonné entrouvre la porte, lance ses papiers à Peng et lui conseille de ne jamais recroiser son chemin.

•

– Nos amis d'en face font dans l'humour, à ce que je vois, lance le douanier vietnamien à ses collègues qui examinent les passeports couverts de tampons.

– Qu'est-ce qu'on en fait ? demande l'un d'eux en les regardant.

– On les fouille jusqu'au trognon ! Je m'en vais faire une petite visite de l'autre côté de la ligne. Ce demeuré de Chinois qui nous prend pour un dépotoir va avoir ma façon de penser, fulmine le commandant en claquant la porte.

On dirait une équipe d'archéologues autour d'une momie. Le garçon, en caleçon, n'existe plus. Ils ont tous les yeux rivés sur sa cheville gauche.

– Tu en es certain ? redemande l'un des douaniers, interloqué.

– Pas de doute, confirme un autre. Regarde les ovales inclinés et les incrustations au dos de la plaque.

Un cinquième officier entre dans la pièce exiguë. Il est dans tous ses états.

– Vous ne me croirez pas ! crie-t-il, essoufflé. La fille...

Il s'arrête en constatant que personne ne l'écoute. Ses yeux suivent les têtes qui fixent le pied du garçon.

– Elle en a un pareil.

Les douaniers se retournent vers lui d'un même élan, comme s'il venait de proférer un inqualifiable blasphème.

– Amène là ici, aboie le commandant.

Une longue conversation s'ensuit dans une atmosphère devenue plus cordiale. Peng raconte aux agents l'histoire de son grand-père, puis d'Alx, qui somnole dans un coin. La soirée se termine quelques heures plus tard, lorsqu'ils sont conduits dans un petit hôtel du village.

Peng rougit lorsqu'elle n'aperçoit qu'un seul lit. Alx dissipe le malaise et s'installe dans le fauteuil qui, bien qu'inconfortable, vaut mieux qu'une banquette de train. Obéissant à l'ordre et à la tradition, elle se glisse sous les draps, le regard accroché au plafond. Elle se prive de la chaleur et de la tendresse de son amoureux, et pour quelle raison ? Au nom de quelle loi ? Tard dans la nuit, Peng le tire de son sommeil pour l'emmener auprès d'elle. Se moulant contre son dos, elle colle l'oreille à son échine pour mieux suivre sa respiration qui monte et descend comme l'onde calme d'une mer lointaine.

L'horloge du salon vient de sonner son sixième coup lorsque l'aubergiste cogne nerveusement à la porte. Une voiture des douanes attend derrière le bâtiment. Elle ignore qui sont ces gens et n'aime pas qu'un véhicule gouvernemental se plante devant chez elle.

Le chauffeur les conduit à la gare quelques minutes plus tard. Il remet à Peng une enveloppe de papier brun contenant deux billets de train et des instructions.

Le voyage reprend dans des conditions nettement différentes. On les conduit dans le wagon de tête, meublé de banquettes en cuir capitonné. Une petite collation et du thé vert les attendent. Assise sur ses jambes repliées, Peng caresse du bout des doigts l'étrange bracelet qui guide leurs pas.

•

Hanoi la bourdonnante se dévoile aux passagers, collés contre les fenêtres des wagons comme des enfants devant la vitrine d'une confiserie. Arrivé en gare, le train perd la moitié de ses occupants avant d'en avaler d'autres. Debout sur la plateforme, Alx regarde l'engin s'éloigner avec joie. « Allez, viens, nous sommes attendus », lui dit Peng en lisant les papiers. Ils sont effectivement attendus. De l'autre côté de la rue, une main s'agite discrètement.

Le chauffeur écrase l'accélérateur dès qu'ils sont à bord et se met à klaxonner sur tout ce qui est en travers de sa route. Il essuie du revers de sa manche une bave jaunâtre qui s'écoule de sa large bouche mâchouillant un cigare *Captain Black* chipé au sous-ministre.

Le trajet se termine devant un quai de pêcheurs où une fillette aux pieds nus et vêtue d'une jolie robe fleurie les invite à prendre place dans une péniche. Elle s'assoit entre

Alx et Peng pendant qu'un homme largue les amarres.

•

Avec ses 300 habitants, le village de Quang Tri est si minuscule qu'il n'apparaît pas sur les cartes, même les plus détaillées.

Un villageois plus hardi que les autres approche les visiteurs dès qu'ils mettent le pied à terre. Il est de petite taille, avec de longs cheveux blancs ébouriffés qui descendent sur sa peau cuivrée. Ses yeux sont fixés sur la gourmette du garçon. C'était donc vrai ce que Minh leur avait raconté dans ses lettres. Il se retourne vers la foule rassemblée derrière lui pour réclamer le silence. Peng étonne tout le monde en montrant sa chaînette. Elle prend ensuite la parole, écorchant une langue dont elle ne connaît que les rudiments. Lui prêtant son attention pleine et entière, l'homme distille ses mots, complète ses phrases, avant de parler à son tour. Alx reconnaît le nom de Minh. Celui du navire est si massacré qu'il passe inaperçu à son oreille. D'autres explications suivent, d'autres faits s'ajoutent, confirmant l'impossible. D'inconnus, ils deviennent des invités de marque. Une femme arrive en courant avec une lettre qu'elle dépose entre les mains du garçon. « Minh ! Minh ! » s'exclame-t-elle, en lui tapotant fièrement l'épaule. Le sourire d'Alx traduit mieux que tout le plaisir qu'il ressent à entendre ce nom. Les villageois ont peine à y croire. Le rescapé de la mer, celui qui est devenu bête de cirque avant d'être sauvé par leur frère qui lui a remis sa gourmette, est parmi eux.

•

On les installe dans une maison sur pilotis appartenant à un centenaire récemment décédé.

Alx et Peng s'émerveillent devant ce monde d'une grande beauté, aux inspirations architecturales variées. Près d'un temple, des parterres floraux ressemblent au Jardin des Tuileries. Au loin, le flan travaillé des montagnes avoisinantes rappelle la forteresse mystique de Machu Picchu. Sur un bras de terre qui s'avance dans la baie, le soleil couvre d'or un monastère en forme de rotonde, et qu'on imagine caché au fond de l'Himalaya. Bordés de litchis vermillon et de caramboliers vert lime, les sentiers menant aux maisons se scindent comme les artères d'un corps.

À la tombée du jour, Alx et Peng accompagnent les villageois au monastère pour y partager un repas. Ce qui les étonne le plus, ce sont ces visages souriants et dépourvus de fatigue, comme s'ils échappaient aux vicissitudes de la vie.

On ouvre les bras à ce couple qui fait déjà partie des leurs, espérant qu'ils y feront leur nid. Mais le passé dont Alx croyait s'être débarrassé ne tarde pas à se manifester de nouveau. Pendant la nuit, des sirènes lui susurrent des mots à l'oreille, l'enjoignant à renoncer à cet éden qui n'est pas le sien, et à retourner chez lui. L'appel devient de plus en plus insistant. On réclame, on exige sa présence. À ces chants s'ajoutent le tintement de la cloche de l'église, le cri des enfants qui s'avancent dans l'eau glaciale, la voix calme de son père qui parle des étoiles. Il s'est même reconnu gamin, attaquant à la pierre une branche qui descendait le ruisseau en s'imaginant qu'il s'agissait d'un torpilleur ennemi. Puis, viennent des images de gens inquiets qui arpentent la plage en criant son nom.

La situation déborde une nuit de grande tourmente, où l'Anse-aux-Bernaches est transformée en Atlantide. Vêtue d'une robe de chambre, Lulu flotte sous l'eau comme un cerf-volant au bout de sa corde, tenant Gros Yeux dans ses bras. Une longue chaîne attachée à son cou se perd dans l'abysse. Alx se réveille en criant, le visage en nage. Il finit par raconter son rêve à Peng, qui observe ces moments d'agitations depuis plusieurs jours, sans oser en parler. Elle est soulagée d'apprendre que leur amour n'est pas remis en question. Il faut cependant se rendre à l'évidence, les cauchemars qui se transforment peu à peu en obsession ne partiront pas d'eux-mêmes. « Tu dois retourner chez toi et affronter ce qui t'attend là-bas. » Alx lève la tête et pose les doigts de Peng sur sa joue humide. Il sait qu'elle a raison. Il doit y aller. « Nous serons deux », murmure-t-elle.

•

Les villageois tentent de les dissuader de partir, mais rien de ce qui est dit ou fait n'ébranle la résolution d'Alx. Résignés, ils entament les préparatifs du départ.

Les survivants de la dynastie Minh avaient vu leur richesse confisquée lors des grandes purges communistes de l'époque, ce que confirment les livres d'histoire. Une légende persistante racontait que des avoirs considérables n'avaient jamais été retrouvés. Cette légende était vraie. Assis sur une fortune cachée dans des coffres-forts d'Asie et d'Europe, le village achète sa tranquillité d'esprit et tient les curieux à l'écart en soudoyant des personnes influentes au sein des gouvernements locaux et étrangers.

Des vêtements occidentaux, des documents de voyage, des billets d'avion et des devises étrangères en petites coupures sont commandés et reçus. Le premier jour d'avril, une escorte part avec le couple et ses cinq valises pour se rendre jusqu'au village voisin situé à une centaine de kilomètres. Le lendemain à l'aube, on les conduit à une vieille station-service transformée en aérogare où des hommes d'entretien préparent un Tupolev de l'après-guerre.

Le pilote se présente une demi-heure plus tard et les accompagne jusqu'à l'avion, où deux sièges recouverts d'un épais lainage vermillon les attendent. La dizaine de passagers suivant derrière spéculent sur le garçon. « C'est le fils du président américain », murmure l'un d'entre eux.

Les moteurs de l'appareil se mettent à toussoter en crachant une fumée noire. L'agente de bord s'assure que tous ont bien bouclé leur ceinture de sécurité, puis vient s'asseoir en face d'Alx dont la nervosité est apparente. Le pilote pousse les gaz. Le zinc résiste et tremble de toute sa carlingue avant de céder aux ordres et de s'élancer sur la piste. L'herbe qui borde le bitume devient une bande continue. Alx enfonce ses doigts dans les appuis-bras et se cale dans le fauteuil en priant pour revoir la terre ferme. Le nez de l'appareil se redresse lentement, puis s'élève en direction de Hô Chi Minh-Ville.

Alx se décide enfin à ouvrir les paupières lorsque l'avion atteint son altitude de croisière. Les passagers, calmes et silencieux, ne le rassurent qu'à moitié, tandis que l'hôtesse trottine dans l'allée en distribuant des boissons chaudes. Il résiste quelque temps avant de jeter un œil par le hublot, mais la curiosité prend le dessus. Blême de peur, il retient sa respiration et s'approche de la fenêtre comme s'il plongeait dans le vide. Un monde de lilliputiens apparaît sous ses yeux. Des camions grands comme le pouce suivent une petite ligne beige à laquelle s'attachent des maisons de poupées posées sur des cartons de couleur.

Quarante minutes passent. Collés les uns aux autres, les champs s'arrêtent au pied de montagnes à la tête blanche et à l'encolure de sapinage. Cantonné dans une vallée, un bourg lui rappelle le village du père Noël que construisait son père. Les maisonnettes et les badauds étaient faits en papier mâché, les voitures, avec de la gomme à effacer et les lampadaires, construits à partir de crayons à mine enveloppés dans du papier d'aluminium. Rien ne manquait.

L'atterrissage se fait en douceur, au grand soulagement de Peng et d'Alx qui complètent leur baptême de l'air. Le fait qu'ils arrivent à l'heure en surprend plus d'un. L'hôtesse demande poliment aux passagers de rester assis à leur place, pendant que le pilote reconduit le couple à l'aérogare. Une limousine les prend en charge jusqu'à l'entrée d'un hôtel fréquenté par la haute gomme. La chambre qui s'étend sur deux étages pourrait facilement appartenir à une célébrité. Après leur avoir coulé un bain, un valet et un cuisinier à leur disposition leur servent un souper sur une table en acajou.

Une grosse voiture noire munie d'armoiries officielles arrive le lendemain matin à huit heures pour les ramener à l'aéroport.

Vestige d'une autre époque, la salle d'attente privée est d'une somptuosité presque grotesque. Des sculptures de marbre blanc ornent l'entrée d'une pièce placardée de peintures hors dimensions qui glorifient des paysans à la musculature surfaite. Autour des tables, une clientèle exigeante et empressée se fait servir des canapés par des employés à l'air gourmé.

L'endroit cesse de bourdonner lorsqu'on aperçoit Alx et Peng, circulant entre les invités. Le major d'homme qui les attendait vient prestement à leur rencontre. Il s'incline à plusieurs reprises, puis les escorte jusqu'à un petit boudoir. Offusqué par la présence d'un étranger, un homme est reconduit vers la sortie après avoir manifesté un peu trop bruyamment son mécontentement. Une heure plus tard, on les fait passer directement dans la cabine d'un Bœing 747 en direction de Los Angeles. Le vol de près de 20 heures fait une courte escale à Taipei avant de poursuivre jusqu'à sa destination finale.

Vidés, Alx et Peng attendent leurs bagages près du carrousel lorsqu'une femme les aborde. Elle porte un tailleur noir et blanc et chausse des escarpins couleur cerise. Des lunettes de soleil à monture d'écaille cachent ses yeux qui balaient constamment l'endroit. « *Mister Stanlie, I'm supposed to give you this*[2]. » La messagère lui remet une enveloppe et repart par le même chemin. Il vide le contenu sur une petite table et trouve une note lui étant adressée. « À votre arrivée à Québec, rendez-vous au comptoir de

2. Monsieur Stanlie, je suis censé vous remettre ceci.

Saltair et demandez Carl. » Une série de chiffres apparaît sous la directive, suivie d'un post-scriptum : « Téléphonez à ce numéro lorsque vous voudrez revenir. Nous irons vous chercher, où que vous soyez. »

•

« Mesdames et messieurs, veuillez relever la tablette devant vous et boucler votre ceinture de sécurité. Nous atterrirons à Québec dans quelques instants », annonce l'agente de bord. Le visage d'Alx s'illumine.

Un coolie des temps modernes s'occupe des valises pendant qu'ils se rendent au comptoir des avions nolisés. Alx arrache une feuille de son carnet et gribouille le nom de son contact. « Il vous attend », répond la jeune fille en uniforme. Un grand garçon dans la vingtaine portant une queue de cheval apparaît d'on ne sait où.

« Je suis Carl, votre pilote. Quelle est votre destination ? » Alx lui tend un autre papier. Anse-aux-Bernaches. « Pas de problème. Donnez-moi 20 minutes et nous serons dans les airs. » Il retourne à l'arrière en pestant contre cette sorte de hippies qui refuse de parler. « Une autre prima donna qui épargne sa voix pour ses concerts. »

L'avion remonte paresseusement le fleuve. Le visage contre le hublot, Alx montre du doigt les hameaux attachés les uns aux autres par l'unique route qui dessert cette terre de Caïn. Peng a du plaisir à le voir si heureux. On dirait un fiancé la veille du grand jour. Mais s'agit-il d'un grand jour ?

# XV

Après huit ans d'absence, ce sont d'abord les odeurs qui le surprennent. Le baume des sapins, combiné à la senteur âcre du bitume chaud et des herbes longues, forme un effluve qui le ramène au temps où il dévalait la route maritime pour se rendre à sa cache.

Le fond froid traverse le tricot de Peng, avant de déposer sur ses lèvres un goût de sel. En bordure de piste, un taxi fuchsia confirme qu'il est bien à la maison. Son propriétaire, un Sicilien débarqué après la guerre, a toujours fait repeindre ses voitures en rose pour honorer la mémoire de sa femme décédée, dont c'était la couleur préférée.

Alx donne ses instructions au chauffeur, puis colle ses yeux au tapis, craignant d'ouvrir de vieilles plaies qu'il ne pourra refermer. Le courage lui manque devant la croisée menant au village. Il passe une autre note au conducteur. « Pas de problème », répond l'homme qui tourne à droite et s'éloigne de l'Anse-aux-Bernaches.

L'auberge de la Pointe-aux-Mystères a réussi à garder un certain cachet malgré sa cure de rajeunissement au polyuréthane et au similibois. Les clôtures de la propriété se frottent à la rivière gonflée par la crue printanière. Alx reconnaît la logeuse qui a profité en poids et en âge. Son tablier entaché, lui, n'a pas changé. L'hôtesse se montre hospitalière, bien qu'intriguée devant ce barbu aux cheveux longs coiffé d'une tuque, et cette femme d'un autre monde. À court de banalités, elle se résout à les escorter jusqu'à leur chambre.

Étendu sur le lit, Alx hume le varech, qui à la fois exulte et acerbe ses sens, tout comme cette terre retrouvée où la joie se mêle à l'amertume envers ses habitants qui ne l'ont jamais aimé.

•

Il chipote dans l'assiette préparée par la tenancière, tandis que Peng parle de choses et d'autres pour le distraire. Mais rien n'y fait. Il reste seul en eau trouble. Le même silence l'accompagne le long de la rivière, à l'endroit où son père lui avait appris à pêcher. Ce qu'il croyait être un quai n'est en fait qu'une paire de madriers retenue par un bout de corde. Le cours d'eau, qui se traverse d'une seule enjambée, paraissait infranchissable à ses yeux d'enfant.

Après avoir arpenté les environs, ils prennent la route en direction du village.

La cloche accrochée au chambranle de la porte tinte timidement lorsqu'Alx et Peng entrent dans la boutique de sports. Le nouvel arrivage de cannes à pêche, de moulinets et de cuillères multicolores est en montre derrière la vitrine. Suspendus au mur gauche, des spécimens rares de mouches à saumon attendent la visite des connaisseurs. La *Valonne*, la *bella* et la *Jack Scott* restent les plus populaires. Alx se rend à l'arrière du magasin, où deux adolescents assemblent des vélos dernier cri. Il pointe deux montures du doigt, puis se dirige vers la caisse enregistreuse.

Coincée entre la côte et la route maritime, la piste cyclable est couverte de petits amoncellements de sable, vestige d'un hiver qui n'en finit plus. Peng avance devant lui, ses jambes poussant sur le pédalier avec la régularité d'un métronome. Il la revoit aussi droite et fière sur le chemin de gravier, avant que ses pieds menus ne passent par-dessus bord et disparaissent dans un caniveau qui n'avait rien de royal. Cette pensée taquine s'évapore à la vue du quai s'étirant dans la mer. Il s'arrête à bonne distance, refusant d'approcher l'objet qu'il imaginait, adolescent, être le tremplin de ses futures aventures. Aujourd'hui, la construction alimente ses pires cauchemars.

Après avoir caché les vélos dans l'herbe haute, ils reprennent la route à pied, bras dessus bras dessous. L'endroit est resté le même, sauf pour l'asphalte, qu'on a déroulé sur le sentier pédestre, et les coups de pinceau, donnés çà et là. Les effluves de goémon conjugués à l'odeur du bois créosoté ramènent en lui le gamin de dix ans qui sautait d'une traverse de chemin de fer à l'autre, sans toucher terre.

Tout près, la toiture rouge vif de l'hôtel Beauséjour découpe le ciel. Deux voitures rutilantes, stationnées à l'avant, brillent comme des pierres précieuses. Les trophées de David, suppose Alx qui ne reconnaît pas les modèles.

Ils poursuivent leur chemin jusqu'à l'école. Usé par le jeu et l'hiver, le gazon de la cour arrière a rendu l'âme. De petites plantes vertes se faufilent entre les briques, contournant la grande porte fraîchement repeinte, et sur laquelle les graffiteurs ont déjà laissé leur marque. De l'autre côté de la rue, l'église Sainte-Marie tient ses fidèles à l'œil. Vivants et morts se croisent sur son parvis depuis près de 100 ans. Un cercueil vide, portant son nom avait sans doute fait l'aller-retour, se dit Alx.

Son prochain arrêt est au magasin général, où il achète un sac de graines de tournesol pour les manger au bord de la mer. Assis sur une « bedaine », ces grosses pierres rondes typiques du coin de pays, il plonge sa main dans le sac et prend une généreuse poignée qu'il dépose dans une petite crevasse faisant office de récipient.

« Regarde ! » Peng montre du doigt une large plaque de glace qui descend le fleuve.

Une femme poussant un carrosse le long de la côte les aperçoit. *Des touristes,* se dit

Lucie, car *seuls les touristes sont assez fous pour arpenter une plage par un pareil froid.* Elle accélère le pas, craignant de se river le nez à la porte de la Caisse. Sa main touche au fond de la poche de son manteau, un chèque d'aide sociale, majoré de 12 dollars. Une fortune, lorsque chaque sou compte.

Quelques années après la disparition d'Alx, et pour donner un sens à sa vie, Lulu s'était mise à chercher le pourquoi des choses. Sa quête avait abouti sur un enchaînement de révélations : Dieu n'existe pas, car aucun Dieu aimant ne permettrait qu'on enlève à une petite fille son père et son frère, les rêves sont des fabrications de l'esprit qui n'ont rien à voir avec la réalité, et la réalité se fout de la justice, c'est pourquoi les voleurs se la coulent douce dans leurs condos en Floride, pendant que des missionnaires se font battre à mort par des voyous.

À 17 ans, elle avait accepté les avances d'un homme qui avait réussi à la faire rire. C'était un notaire de huit ans son aîné, dont les affaires prospéraient. C'était aussi un homme violent qui sortait les poings à la moindre contrariété. Leur relation s'arrêta cinq semaines avant l'accouchement d'un premier enfant. Elle l'avait menacé de le quitter, il avait répondu en la battant jusqu'à ce qu'elle perde connaissance et en mettant le feu à la maison. C'est le voisin qui, après avoir appelé les pompiers, l'extirpa des flammes en la traînant par les pieds quelques secondes avant que le toit ne s'écroule. Il reçut une médaille pour sa bravoure. Elle passa deux mois à l'hôpital des grands brûlés de Québec, où elle donna naissance à un beau garçon.

Les médias suivirent avec intérêt le procès pour tentative de meurtre. L'accusé écopa de 12 ans de prison, sans possibilité de libération. La victime, elle, se retrouva dans la rue, sans le sou.

Le propriétaire du camping des Trois bouleaux, un homme généreux et pratiquant, vendit à Lucie un coin de sa terre pour la somme symbolique de un dollar et l'installa dans une vieille roulotte qu'il renippa avec ses deux frères.

On ne voit plus la fille de Léon Stanlie depuis, sauf lorsqu'elle descend au village pour encaisser son chèque et faire ses emplettes.

•

Alx fouille de nouveau le sac de papier vide. C'est la troisième fois et sa nervosité est de plus en plus apparente. « Allons-y », dit Peng, qui lui donne la poussée dont il avait besoin. Ils laissent la roche jonchée d'écales pour marcher sur la plage. Alx presse le pas en s'approchant de sa grotte. Son cœur s'accélère sous l'anticipation.

Après en avoir dégagé l'accès, il enfonce sa main dans la petite caverne, auscultant les aspérités à la recherche du bien le plus précieux qu'il n'a jamais possédé. Il touche enfin la vieille couverture dont les extrémités moisies se désagrègent sous ses doigts. Après l'avoir retirée, il la déplie avec la précaution d'un démineur. L'odeur de pipe y est toujours. Tout ce qui l'entoure disparaît soudainement. Il ne reste plus qu'un fils et son père, enfermés dans la laine d'où émanent encore quelques traces de fumée. Il finit par lever les yeux en posant un regard trouble sur le bleu du large, avant de retrouver Peng qui grelotte, appuyée contre un tronc d'arbre. Elle l'embrasse, puis entraîne sa tête sur ses jambes et se met à fredonner la berceuse qui l'endormait chaque soir, après qu'on eut brisé son corps à coups de pelle. Ils restent ainsi jusqu'à ce que le soleil s'éteigne.

Alx plie solennellement la couverture comme on le fait avec le drapeau enveloppant le cercueil du soldat mort au combat, et en confie de nouveau la garde à sa grotte. Ils reprennent ensuite la route de l'auberge où un repas chaud les y attend.

•

Au village, l'étranger et sa Chinoise commencent à faire jaser. Bien des curieux aimeraient savoir ce qu'ils font dans le coin. Madame Desgagné, la spécialiste des commérages, se met en tête de le découvrir.

Alx et Peng attendent la fin de l'averse pour enfourcher leurs bicyclettes et reprendre la direction de l'Anse-aux-Bernaches. Ils tournent le dos à la côte sur un chemin de terre qui longe trois kilomètres de champ, trois kilomètres où Alx cherche à contenir sa peur. Mais comment ne pas avoir peur ?

Des peupliers de Lombardie bordent une clôture en fer forgé noir, ornée de petits lys dorés. L'enceinte se referme sur deux colonnes jointes par une arche, au sommet de laquelle se tient une croix sans tête. Consonnes et voyelles cascadent de chaque côté pour compléter l'enseigne du cimetière.

Près des arbres, quelques îlots de neige échappent à l'attention du soleil. Alx suit l'allée principale, puis tourne à sa droite devant le monument ostentatoire du curé fondateur de la paroisse. Emportés par la fonte, des bouquets de fleurs en plastique, déposés en automne, gisent au fond d'une rigole.

Alx trouve rapidement la pierre tombale de son père, dont le marbre rosé paraît en assez bon état. Imaginant son épaule, il pose sa main sur le côté arrondi de la stèle et se recueille, tandis qu'à sa manière, Peng lui présente ses respects. Une fois les hommages rendus avec la promesse de revenir, il se met à arpenter les alentours. « Alx ! Ne la cherche pas ! Allons-nous-en », implore Peng, redoutant le choc de voir l'ultime confirmation que l'on n'est plus. Alx refuse de s'arrêter. Il doit en finir avec cette idée stupide que peut-être, seulement peut-être, quelqu'un tenait une vigile.

« Alx, c'est... » Peng fige devant le granit noir sur lequel apparaît un garçon tenant dans une main un morceau de bois, et dans l'autre, un canif. Le nom est biseauté juste en dessous : Joseph Alx H. Stanlie. Craignant la risée, sa mère avait demandé qu'Hypérion soit ramené à sa plus simple expression.

Une enveloppe bleue protégée par une cellophane se tient debout, contre la pierre. Le prénom du défunt se trouve en lettres carrées sur la carte anniversaire. Alx l'ouvre. Une caricature à l'encre de Chine montre un gamin traversé d'une oreille à l'autre par un couteau de boucherie. « Pour ta fête, j'ai pensé à la seule chose qui ne t'est jamais passée par la tête ! » dit la bulle. Le post-scriptum avait commencé à pâlir. « Bonne fête, mon emmerdeur de frère. Tu me manques terriblement. Ta Lulu qui t'aime. » Alx lit et relit la carte en effleurant chaque mot de son index, cherchant la main de sa sœur. Elle avait dû profiter du congé pascal pour venir à l'Anse-aux-Bernaches et faire son tour au cimetière. Médecin, peut-être avocate, il l'imaginait vivant à Québec ou à Montréal.

La noirceur s'était déjà installée lorsqu'ils franchissent la porte du gîte. Alx ouvre son cartable et remplit deux pages d'une seule et même phrase pour mieux s'assurer que chaque mot, chaque lettre, ne le quitte jamais. « Tu me manques terriblement. Ta Lulu qui t'aime. »

Il essaie d'honorer la cuisine de l'aubergiste, mais l'appétit lui manque. Cette visite au cimetière et la carte de Lulu l'ont bouleversé. À l'Anse-aux-Bernaches, il n'est plus qu'un fantôme à la recherche de ses pas. Ses pas n'avaient peut-être pas été heureux, mais c'étaient les siens et ils avaient laissé des traces. Très jeune, il avait appris à ne pas être entendu. Maintenant, il devait apprendre à ne pas exister.

Sur la rue Des Cèdres, à une dizaine de kilomètres de l'auberge, Madame Desgagné rend compte de son enquête à sa cousine. « Je les ai vus prendre le chemin du cimetière. À moins d'avoir des goûts macabres, tu ne vas pas au cimetière pour le plaisir de la chose. Ça veut dire que le garçon connaît quelqu'un qui y est enterré. Un ami, peut-être un parent. Je l'ai regardé attentivement quand il s'est arrêté le long de la côte. Son visage me dit quelque chose. »

•

Presque identique à toutes ses voisines, la demeure située dans un cul-de-sac se cache derrière une épaisse haie de cèdres encadrée par deux bouleaux jaunes. Alx contourne la façade et constate avec soulagement que personne n'est à la maison. Dans le coin de la cour, le cabanon tient bon, malgré son âge avancé. La porte ne ferme plus et les planches ceinturant la devanture se sont libérées de la structure. À l'intérieur, râteaux, pelles et vieux pneus s'empilent dans le plus grand désordre. Trois sacs de terre noire plaquent contre le mur une bicyclette qui sert maintenant de points d'ancrage aux toiles d'araignées. Le temps a défraîchi sa peinture et terni son lustre, mais sa prestance est intacte. Le guidon surélevé, la fourche allongée et les larges pneus à flanc blanc témoignent des modifications créatrices de son propriétaire. Alx dégage le vélo et glisse sa main sous la selle pour en sortir un petit canif qu'il empoche.

Sur une tablette, près de la fenêtre, un camion de bois d'à peine cinq centimètres défend sa place entre deux pots en grès. Il le dépoussière, l'enfouit dans sa veste, puis retourne à sa bicyclette sur laquelle il a parcouru des centaines de kilomètres en s'imaginant faire partie d'une dangereuse bande de motards.

Sa montre indique qu'il est l'heure d'aller rencontrer celle qui l'a mis au monde. La trouver sera facile. C'était un être d'habitudes et de routines.

•

Tirées par un fil invisible, les clientes de l'épicerie montent et descendent d'un même pas les allées de condiments. Alx ramasse un panier et passe entre deux femmes qui en ont long à dire sur absolument rien. Il grappille deux boîtes de céréales, un pied de céleri et un litre de jus de pomme qu'il dépose dans le chariot. Au comptoir des viandes, une consommatrice, le doigt écrasé contre la vitrine derrière laquelle se tient un gigot d'agneau, dispense ses conseils au boucher. Il ne la reconnaît pas sur le coup. Ses cheveux d'un noir bleuté et son rouge à lèvres carminé lui donnent une tout autre allure. Un petit être chauve et bien enveloppé attend patiemment à ses côtés. Il n'a jamais vu l'individu qui arrive à l'épaule de sa mère. *Elle s'est trouvé un coussin,* pense Alx en contemplant cette femme qui ne mérite pas de porter le nom des Stanlie. Le boucher remet un paquet bien ficelé à Marie-Louise, qui le passe à son homme de service avant de se diriger vers l'allée des produits laitiers d'où Alx l'observe. Il essaie de retraiter, mais des clientes en grande discussion lui bloquent le passage.

Sans le savoir, elle s'arrête à quelques mètres seulement de son fils, avant de porter un regard étonné sur Peng. Les Orientaux ne sont pas monnaie courante dans ce village sans race ni couleur. Marie-Louise examine ensuite celui qui l'accompagne. *Un sans-le-sou vivant aux crochets de la société,* se dit-elle. Sa barbe mal taillée, sa tuque enfoncée jusqu'aux oreilles et ses cheveux qui lui descendent sur la nuque ne font rien pour arranger les choses. Ses yeux s'accrochent à ceux d'Alx, qui la dévisage sans s'en rendre compte. Il ne respire plus, paralysé comme un cerf surpris par des lumières de voiture. L'armure derrière laquelle il se cache commence à se fissurer.

Marie-Louise s'effondre contre un présentoir lorsque son compagnon, qui ne regardait pas où il allait, lui rentre dedans avec son panier.

– Tu essaies de me tuer ou quoi ? crie-t-elle, étendue sur un champ de boîtes de conserve.

– Excuse-moi, ma chérie.

La main tendue, il l'aide à se relever pendant qu'une employée dissimule son fou rire en pourchassant un pot de cornichons.

– Où est-il passé ? demande Marie-Louise en replaçant sa jupe.

– Qui donc, mon ange ?

– Le garçon. Il avait les mêmes yeux... *Les mêmes yeux,* répète-t-elle pensivement.

Alx a déjà pris le côté cour. Accrochée à sa manche, Peng suit derrière. Ils enfourchent leurs bicyclettes et roulent à toute vitesse en direction de la mer.

•

– J'ai trouvé ! s'exclame Madame Desgagné. Je sais qui c'est. Enfin, je ne sais pas, mais je sais qui l'a fait. C'est Léon qui l'a fait. Il a les mêmes yeux et le même menton. Il marche comme lui.

– T'as toujours été une bonne devineuse, acquiesce sa cousine.

– Il est plus grand et plus costaud qu'Alx, mais à l'évidence, c'est le fils illégitime à la recherche de son père.

– C'est plein de bon sens. Léon n'était jamais à la maison, et un homme qui n'entre pas...

# XVI

La corvée au cimetière, martelée chaque dimanche depuis un mois par le curé du haut de sa chaire, se présente sous de bons auspices en ce samedi frisquet, mais plein de promesses.

Comme à l'habitude, les âmes de scout se pointeront vers neuf heures, les bons catholiques, deux heures plus tard et les volontaires sans volonté attendront l'après-midi pour se montrer. Ceux qui ont de la famille s'occuperont des leurs. Les autres débarbouilleront les épitaphes orphelines.

Trois voitures sont dans le stationnement lorsque Lulu arrive. La semaine dernière, elle avait nettoyé la stèle de son père et celle de Cyriac. Aujourd'hui, armée de son râteau, elle vient défendre le lieu de repos de son frère, prête à affronter quiconque essaiera de désacraliser l'endroit par une cure qui ne lui ressemble pas. Herbes longues, herbes folles, herbes indésirables. C'était ça, Alx.

Son sang ne fait qu'un tour lorsqu'elle arrive devant la pierre. On a tripoté ses choses. Les fleurs en plastique ne sont plus à l'avant du granit, mais adossées sur le côté, et la petite enveloppe bleue repose face contre terre. Elle prend la carte et l'examine avant de la laisser tomber, terrifiée. Un vieillard, qui sarcle non loin, entend le cri. Il s'approche de Lulu qui se tient debout, les mains sur sa bouche, fixant l'enveloppe étendue sur le sol. « Avez-vous besoin d'aide, mam'zelle ? » Lucie secoue violemment la tête. Elle ramasse la carte du bout des doigts, n'en croyant pas ses yeux. « À Lulu. » Cinq lettres qui font peur à voir. « Merde de merde ! » lâche-t-elle, oubliant où elle se trouve. « Quelqu'un se fout de ma gueule ! »

L'objet la trouble au plus haut point. Elle croit reconnaître les pattes de mouche de son frère, mais c'était trop fou pour être vrai. Elle essuie les gouttes de sueur qui perlent sur son front, puis ouvre l'enveloppe. Alertés par le cri, trois autres Samaritains se précipitent sur les lieux. Lulu déguerpit avant qu'on ne puisse la rattraper. Elle court jusqu'à l'église, se réfugie à l'arrière du jubé et ressort la carte de sa poche de manteau pour la lire de nouveau. « Je serai toujours avec toi, ma Lulu. Ton frère qui t'aime. » Et c'était signé Aless.

Elle savait qu'un jour, sa correspondance fictive lui jouerait des tours. Depuis des années, elle échangeait des lettres avec Cyriac. Les mardis et jeudis, elle répondait à ses mots doux, les lundis et vendredis, elle écrivait en son nom. L'idée lui était venue après une visite chez la psychologue, qui lui avait conseillé de consigner ses émotions dans un journal intime. Cyriac était son amour impossible à qui elle confiait ses rêves.

Il la réconfortait en lui disant qu'elle était toujours belle, malgré les brûlures et les cicatrices, et qu'un jour, quelqu'un viendrait la chercher avec son fils et qu'ils vivraient heureux pour le reste de leurs jours.

Mais voilà qu'aujourd'hui, Cyriac s'est échappé et a pris la forme de son frère.

•

Le soleil donne l'impression de faire boursoufler les pierres éparpillées sur la plage, pendant que des goélands effrontés embêtent des amoureux en pique-nique.

L'air frais s'offre en pâture aux narines d'Alx qui prend de bonnes respirations en revoyant la scène de l'épicerie. La rencontre avec sa mère n'a pas eu l'effet tant redouté. Ce n'est évidemment pas l'indifférence, mais ce n'est pas non plus le grand bouleversement. Il avait souvent imaginé les retrouvailles autour d'un café. Tous les scénarios se terminaient par une conversation enflammée. Il se voyait chaque fois quitter l'endroit en claquant la porte.

Après avoir tranché avec son canif un fromage chapardé à l'épicerie, ils s'installent sur une petite butte et dégustent le gouda en admirant le fleuve. Amarré au quai, un vraquier se prépare à prendre le large. *Il doit faire trois fois la taille du Médusa,* pense Alx qui se l'imagine encore, à quelques kilomètres à peine de là où il se tient. Être si près, avoir été si loin.

Le vent frais, qui annonce le retour de la marée, le ramène à des considérations auxquelles il se résigne peu à peu. Sa famille n'existe plus, pas plus que le village et ses habitants. Ce monde qui l'a vu naître et mourir s'accommode très bien de son inexistence. Ce monde n'est plus le sien.

•

Alx hésite longtemps avant d'entrer dans le restaurant de l'hôtel Beauséjour. Ils s'assoient sur la banquette, près des toilettes. La dizaine d'habitués ne remarque rien. À la première table, Cléophase Dugas du Rang Cinq attend sa soupe. Il a vieilli, constate Alx, et ses cheveux ne forment plus qu'une couronne blanche, mais ses yeux sont les mêmes. « Ne te retourne pas, écrit-il à Peng. Mon vieux loup est ici. »

Cléo était un solitaire grincheux qui voulait qu'on le laisse tranquille. Au restaurant, il n'entrait que si sa table était libre et commandait toujours la même chose. On disait qu'il n'avait pas articulé un mot depuis sa sortie de prison, il y a plus de 40 ans. C'était une histoire de femme, paraît-il, mais personne n'en était certain. On parlait d'un amour fou qui avait fini dans le sang. La jeune fille avait confié à Cléophase que son cœur était sous l'emprise d'un moins que rien et qu'il pouvait lui appartenir s'il acceptait de la libérer. Il agréa à sa demande, et du coup, elle obtint sa vengeance. Le jour de sa condamnation, elle le remercia secrètement en lui susurrant à l'oreille que son sacrifice n'avait pas été vain. Il ne l'a revit jamais.

Cléophase avait attiré Alx comme on le fait avec un écureuil, avec patience et sans gestes brusques. Il l'avait remarqué errant dans le parc. C'était après la mort de Léon. Cléo lui avait montré comment jouer aux dames. Plus tard, il lui avait appris à faire voler un cerf-volant et à tricher aux cartes. Il aimait Alx parce qu'il était intelligent et surtout, parce qu'il ne parlait pas. Bien que simple, leur relation constituait, à ses yeux, la preuve patente que le langage était une entrave à la communication. Lorsqu'ils se croisaient à l'épicerie ou en sortant de l'église, ils se saluaient secrètement à la manière des scouts, les trois doigts collés pointant vers le bas plutôt que vers le haut. Alx répondait au signe, sans en comprendre la signification. Pour Léo, cette trinité des doigts représentait la famille qu'il n'avait jamais eue. Lui, c'était le majeur. L'annulaire, sa fidèle compagne et l'index, sa fille dont il aurait été si fier.

Alx observe discrètement Cléo qui délaisse sa cuillère pour boire sa soupe, comme le fait un enfant. Ces longs moments de silence partagés en sa compagnie lui ont beaucoup manqué.

La quiétude qui baigne l'endroit est soudainement vidée de son oxygène par une suite de mots gras. David Inniss vient d'entrer, et pour exister, David Inniss doit prendre toute la place. Il s'arrête devant une table, les mains plantées sur les hanches. Son ventre travaillé au houblon couvre jusqu'à la fourche un pantalon deux fois trop petit. Un maillot de corps déformé par ses rondeurs étire des mots orange fluo : « Montréal, Ville de nuit. » Le gris sur ses tempes et sur son visage mal rasé rend compte d'une usure qu'il refuse de reconnaître. Alx le regarde en se demandant combien de nouvelles voitures David a acquises depuis son départ, combien de petites amies il s'est payées, combien de... « Mais on s'en fout ! Que le gros emmerdeur soit ici ou ailleurs, mort ou vivant, on s'en fout éperdument ! » C'était vrai pour David, c'était vrai pour le village, c'était vrai pour lui. Cette pensée insupportable touche le fond du problème et met en lumière la véritable question : comment la terre a-t-elle pu continuer de tourner alors qu'il était seul, affamé et grelottant dans une cage ? Pourquoi ne l'a-t-on pas secouru ? Pourquoi ne l'a-t-on pas cherché ? Pourquoi ne l'a-t-on pas pleuré, attendu ? Comment la planète a-t-elle pu rester indifférente, alors qu'il était attaché à un pieu comme un animal ? Pourquoi vous êtes-vous fermé les yeux ? *Comment avez-vous pu dormir ? Je vous maudis tous !*

Les clients figent lorsque son poing frappe violemment la table et renverse le bol de nouilles de Peng sur la nappe en plastique carrelé. Son propre geste le fait sursauter. Le visage empourpré, il se cale dans le fond du banc en espérant être oublié. À son grand soulagement, le tintement des ustensiles sur les assiettes et les plats reprend. La main de Peng serre celle d'Alx qui tremble encore. « Alx, chuchote-t-elle, ces gens ne sont pas responsables de tes malheurs. Ils ne l'ont pas voulu ni souhaité. Comment peut-on empêcher quelque chose, alors qu'on en ignore l'existence même ? » Elle avait raison. Il cherchait un coupable, une personne, un endroit, une chose sur laquelle il pourrait enfin se venger. Tant de souffrances ne pouvaient rester impayées. Il dépose un billet de 20 dollars sur la table et sort en longeant les murs.

Peng le trouve derrière la bâtisse, en train de vomir corps et âme. « Il faut en finir, Alx, et passer à autre chose, sinon... » Sinon, ton intérieur se durcira comme du marbre, se garde-t-elle de dire, et il n'y aura plus de place, ni pour moi ni pour personne. « Je t'aime, dit-elle enfin. Je t'aime plus que tout au monde. » Une pluie fine se met à tomber, alors qu'ils reprennent la route vers l'auberge, laissant, sur le gazon, deux vélos et une lasagne.

Debout près de la fenêtre, Cléo les regarde s'éloigner. Sa main droite envoie un salut scout renversé au garçon qui ne le voit pas.

•

L'auberge semble morte. Peng monte à la chambre sans faire de bruit, tandis qu'Alx se retire au salon. Emmaillotée dans son châle, une vieille dame se prélasse devant le foyer chauffé par une grosse bûche d'érable. Le craquement du plancher la fait sortir de son livre. « Venez vous asseoir, dit-elle en posant la main sur un fauteuil tout près. Sa voix cassante dicte plus qu'elle ne propose. Vous êtes du coin ? » Alx hausse les épaules. Il ne sait plus ce que cela signifie. Après s'être installé dans la bergère, il sort de son porte-monnaie une petite feuille soigneusement pliée et relit les deux lignes qui précèdent la longue suite de chiffres : « Téléphonez à ce numéro lorsque vous voudrez revenir. Nous irons vous chercher, où que vous soyez. »

Une heure du matin sonne lorsqu'Alx rejoint la chaleur du lit où Peng dort paisiblement. Il contemple les courbes de son corps éclairé par une lune voyeuse, avant de l'embrasser sur le front. L'odeur de son épiderme parfumé appelle ses lèvres qui s'attardent sur son cou. Elle ouvre les yeux et s'enroule autour de lui comme une liane.

•

Le froid qui frappe sauvagement à la porte rend pénible la levée du corps. Alx descend à la cuisine sur la pointe des pieds, active la cafetière et s'installe près de la fenêtre qui donne sur la cour. Dehors, le ruisseau continue de déverser son trop-plein entre les arbres de la propriété. Sur la petite table, il aperçoit un bottin téléphonique qu'il se met à feuilleter en cherchant des noms familiers. Il trouve deux Gilles Dupont. L'un d'eux est peut-être son ami d'enfance. Il revient ensuite au début et passe en revue les *A*, puis les *B*. Son cœur s'arrête une dizaine de pages plus loin. Lucie Stanlie, 68, rue Des Groseilliers. *C'est une erreur,* pense Alx. Lucie n'est plus à L'Anse-aux-Bernaches depuis belle lurette. Elle habite Montréal, Québec... elle... Il renverse son café sous l'énervement.

Lulu détestait le village et ses villageois. Elle avait juré de quitter le bled dès qu'elle aurait l'âge de le faire. Elle avait maintenant 23 ans et de grandes ambitions.

*Tout ça, c'était vrai, mais rien ne prouve qu'elle n'est plus ici,* se dit-il en essuyant le plancher. Il sursaute lorsque Peng lui touche l'épaule. Elle tient l'annuaire dans ses mains, le doigt collé sur un nom qui lui est étrangement familier.

•

Il n'y a pas de nom de rue, seulement un bout de contreplaqué avec un chiffre peinturé en bleu, cloué sur une planche à côté d'un chemin de terre. *Ce n'est pas la bonne adresse,* se dit Alx en s'avançant dans le sentier. À travers les branches de sapin, il aperçoit une vieille roulotte assise sur des blocs de béton. Un auvent défraîchi fourni de l'ombre à une galerie qui se rend jusqu'au poteau de corde à linge. La musique d'une radio traverse deux petites fenêtres.

Alx commence à rebrousser chemin, lorsqu'un gamin se met à crier. Il pousse Peng derrière un bosquet et lève lentement la tête.

– Maman ! Maman !

Une jeune femme ouvre la porte et s'appuie sur le garde-corps, le regard tourné vers l'enfant assis dans son carré de sable. Elle porte une camisole, exposant sa peau que les nombreuses greffes ont rendu bigarrées. Une bande bourgogne, large de cinq centimètres, descend de la nuque à l'épaule gauche, puis tourne sur sa poitrine avant de disparaître sous l'encolure. La bande refait surface au bas de son short bleu ciel et suit sa jambe jusqu'au pied. Seul son visage a été épargné.

Elle glisse une épingle à cheveux dans son chignon pour ramener une mèche rebelle à l'ordre.

– Qu'est-ce qu'il y a, mon p'tit homme ?

Le garçon montre un cylindre de sable moulé avec un verre en plastique.

– J'ai fait notre maison.

Lucie porte la main à sa bouche pour ne pas pleurer.

– Elle est très belle, Hypérion, très belle, acquiesce-t-elle après avoir repris sa contenance.

•

Alx reçoit la confirmation en matinée. L'avion les attendra lundi en fin d'après-midi. Quelqu'un s'est même occupé de réserver le taxi.

Hanté par les évènements de la veille, il a peu dormi. Tant de questions restent sans réponses. Il aurait pu rencontrer Lulu et lui faire le récit de ses huit dernières années. Elle lui aurait à son tour raconté l'histoire de sa vie. Mais il n'est pas question de se dévoiler, pas pour elle ni pour qui que ce soit. Pas maintenant. Il est mort, et les morts ne parlent pas, même à ceux qu'ils aiment.

•

Le lendemain, le jet arrive du large avec une heure d'avance sur l'horaire. Les pilotes en profitent pour prendre l'air et marcher le long de la piste. À l'auberge, les bagages attendent près de la porte. Alx a déjà payé la note et fait nerveusement les cent pas dans le salon. Il s'arrête lorsqu'un klaxon se fait entendre.

•

– Maman, t'en as d'autres ?

Hypérion venait d'envoyer une douzaine de lettres écrites par Cyriac dans le poêle à combustion lente.

– Il en reste quelques-unes. Attends, mon p'tit homme.

Lucie avait décidé d'en finir avec cette relation malsaine. Elle retire les dernières enveloppes du tiroir, lorsqu'on cogne à sa porte. À travers le rideau, elle aperçoit une voiture rose.

– Madame Lulu ?

Elle porte la main à son front. Personne ne l'appelait ainsi, sauf sa mère, à qui elle ne parle plus depuis des années, et...

– On m'a chargé de vous remettre ceci. Il lui tend une feuille pliée en deux.

– Je... Euh !... Je... Entrez, je vous prie. Elle cherche un endroit où s'asseoir avant que ses jambes ne lâchent.

L'homme a toujours le bras tendu.

– C'est à vous.

– Je... Euh !... Je... Elle finit par prendre la missive.

Il la regarde curieusement pendant qu'elle se met à lire. Hypérion s'approche, inquiet.

– Maman, tu pleures ?

•

Le pilote ne reconnaît pas Alx. Ce doit donc être un homme d'affaires et non pas un acteur hollywoodien comme il l'avait espéré. *Ma femme sera déçue,* se dit-il en lui remettant une enveloppe cachetée contenant une impressionnante liasse de dollars américains et une série de billets d'avion. Sur du papier vélin frappé d'un en-tête, l'itinéraire est listé dans les moindres détails. Limousines, restaurants réputés, hôtels de grand luxe, rien ne manque.

Peng monte dans l'avion, pendant que le copilote, aidé du chauffeur de taxi, charge les bagages. Debout sur la marche, Alx scrute l'horizon. De l'autre côté de la clôture, des gamins, les mains sur les oreilles, anticipent le décollage.

Le copilote reprend sa place et les vérifications commencent. Alx s'éloigne de quelques pas. Ses yeux continuent à chercher, pendant que ses doigts jouent nerveusement du piano. Il s'approche des enfants qui reculent. L'un d'eux tend le bras vers l'avion.

– La madame, elle vous appelle.

– Elle ne viendra pas, lui dit Peng en prenant sa main.

Le réacteur gauche commence à tourner dès que les ceintures sont bouclées. Le droit suit pendant que le Learjet trottine jusqu'au bout de la piste et s'aligne, le nez pointé vers l'est. Les moteurs se mettent à siffler de plus en plus fort. Les enfants se regardent en riant, pressentant le vacarme. Une tempête de vent s'élève derrière la carlingue, faisant voler des papiers qui traînent. L'avion commence à rouler. La roue avant ne touche déjà plus le bitume à mi-course. Les autres suivent, puis disparaissent sous le fuselage.

•

– Il vient tout juste de partir avec sa Chinoise, dans un avion privé, déclare Madame Desgagné à sa cousine.

– Un avion privé ?

– Un jet ! Ma fille. C'est un millionnaire, c't'homme-là.

– Un millionnaire ? Mais qu'est-ce qu'un millionnaire est venu faire à l'Anse-aux-Bernaches ?

– C'est le garçon de Léon, cocotte ! J'en ai parlé à Marie-Louise.

– Marie-Louise te l'a dit ?

– C'est une drôle de femme, cette Marie-Lou. Elle m'a répondu « non » quand je lui ai demandé si elle connaissait le gars qui rôdait dans le village depuis une semaine, mais quand je lui ai dit qu'il avait une tête de Stanlie, elle a failli tomber dans les pommes.

– J'sais bien que ça se remplace pas, un enfant, mais elle aurait pu avoir un autre fils.

– Y avait l'air trop comme son Alx, réplique Madame Desgagné, y aurait jamais été à sa place.

•

L'avion fait une longue boucle avant de mettre le cap à l'ouest. Rivé au hublot, Alx trouve le camping des Trois boulots, mais la roulotte, cachée sous les arbres, reste invisible.

Le jet vient de franchir trois mille mètres d'altitude lorsqu'ils recroisent la piste. Un point rose remonte le chemin, puis s'arrête en face de la clôture. Alx bondit de son fauteuil et ouvre le rideau les séparant de la cabine de pilotage.

Lucie se remet à pleurer en voyant l'avion s'éloigner. Le chauffeur baisse la radio pendant qu'Hypérion cherche à la consoler.

– C'est pas grave, maman, c'est pas grave, murmure le petit en reprenant les mots qu'elle lui chuchote à l'oreille lorsqu'il a de la peine. Ces mots lui font toujours du bien, même quand la peine est grosse.

– Je vous ramène ? Angelo aurait voulu dire autre chose, quelque chose qui aurait allégé son chagrin.

– S'il vous plaît, renifle Lucie.

La radio crépite lorsque le taxi arrive à la côte.

– Angelo, tu es à l'écoute ? demande sa femme.

– J'ai un client à bord, grogne-t-il.

– Je viens d'avoir un coup de fil. Retourne à l'aéroport, l'avion sera là dans quelques minutes. Il y a un message pour la passagère. Elle s'arrête, le temps de remettre ses lunettes. « J'arrive, Lulu. Aless »